El teatro y la actuación en general es la continua repetición de lo mismo, ya que todas las grandes historias de la ficción ya fueron escritas, y todos los personajes ya han sido actuados; por lo que el reto en la escena, como en la vida, será siempre lograr que sea nuevo, único e irrepetible como cada uno de nosotros, como Dios nos creó. Completamente empapado de su personalidad, de manera dinámica, divertida y diferente, Gustavo nos voltea el tablero del juego, llevándonos de la tranquilidad de la butaca del cómodo espectador (libro en mano), al caos, la intensidad y el vasto universo del quehacer escénico sobre el escenario más difícil que pueda existir: la vida real, tu propia vida. Hará que te formules preguntas tales como ¿quién soy?, ¿dónde estoy?, ¿a dónde quiero ir?, ¿cuál es mi objetivo?; preguntas todas de aquellos que nos dedicamos a la profesión de actor antes de una escena, pero no debajo de la máscara de algún personaje, sino desde la propia persona. Será un ejercicio que no debes perderte si quieres sentir qué es tener el control de tu propia producción, tu dirección, tu historia y personaje principal. ¿Quieres ser el actor de tu vida? ¡Aquí Gus te guiará cómo serlo!

RODRIGO ABED
Reconocido actor

A través de la analogía, Gustavo Falcón nos invita a observar los procesos de un viaje por el cual todos pasamos, donde a veces tenemos que recordar que hay que salir a dar la cara a pesar de las circunstancias. De una manera divertida, pero también con los pies plantados en la realidad, trata temas fundamentales como la disciplina, el descanso, la enfermedad, el fracaso y las motivaciones, entre otros; con la intención de recordarnos que la vida se vive con pasión, intencionalidad y, por supuesto, con unos cuantos desaciertos y algunas lágrimas.

JUAN FRANCO
Pensador y productor

De manera muy digerible y directa, Gustavo Falcón te llevará a las profundidades de lo que es la vida real por medio de una analogía de la vida y el teatro. *La vida detrás del telón* nos hace comprender que toda experiencia deja un aprendizaje, que debemos vivir al máximo, ya sea como actores o espectadores. Este libro ayuda a enfocarnos nuevamente en la razón de por qué estamos aquí y hacia dónde nos dirigimos; dejando en claro que en la vida hay que saber esperar, que todo llega a su tiempo.

ROBERTO SERRANO
Destacado músico profesional

Este libro refleja de una manera muy ocurrente y directa la realidad de la vida. A veces creemos que esta es solo lo que la gente ve en nuestros mejores momentos, nuestras publicaciones en *Instagram* más espectaculares, por ejemplo; pero realmente lo que es verdadero y real es lo que pasa detrás de ese telón. Felicito a mi amigo Gustavo Falcón por atreverse a tratar lo que sucede tras bambalinas y dejarnos ver cómo una persona de influencia tiene también sus momentos de lucha y desafíos; así por compartirnos, al mismo tiempo, cómo aprender a vivir durante esos momentos y salir adelante en esta aventura llamada vida.

Coalo Zamorano
Cantautor

Qué manera tan amena y práctica para analizar la vida y todo lo que esta conlleva. La comparación con una obra de teatro es magnífica. Te dejará como lector la decisión sobre tu preparación para interpretar tu papel, la pasión que le imprimas, la capacidad de improvisar y, sobre todo, la decisión de ser espectador o protagonista de tu propia historia. Me sorprende una vez más mi querido amigo Gustavo Falcón por su capacidad de escribir este excelente libro, el cual tocará favorablemente tu vida para siempre.

DR. CESAR LOZANO
Conferencista internacional, escritor, conductor de radio y televisión

Pocos libros son tan necesarios y que deberían ser parte de la preparación para todo actor de profesión y de su propia vida como *La vida detrás del telón* de Gustavo Falcón. Realismo puro que anima. Me hizo volver a soñar; pero ahora con los pies en la tierra y con la mochila llena de municiones. Gracias Gustavo, por hacerme sentir bien con mis fracasos y mis éxitos y por ayudarme a entender que en la vida todo pasa, y ya sea que ocurran aplausos o abucheos, estaré lista para más. Recomiendo su lectura a todo joven que siente que puede comerse el mundo; a todo adulto que se cansó de ver pasar por el frente los éxitos de otros y se siente desanimado; a toda mamá que tuvo que ponerle un alto a sus sueños por apostarle a la vida familiar, pero quiere volver a volar. Cuando leía, algo vino a mi mente: mientras haya vida, habrá tiempo para triunfar sobre mi escenario. Me encantó, me animó, me dejó las ganas de llenar de nuevo mi agenda de trabajo.

CAROLINA CARVAJAL
Actriz y modelo

Deseo invitarte a embarcarte en un fascinante viaje literario que te brindará múltiples herramientas para realizar exitosamente esta travesía que llamamos "vida". Ciertamente, mi gran amigo Gustavo Falcón logra elaborar magistralmente un lienzo salpicado de ideas, conceptos y metáforas enmarcadas dentro de un vibrante dinamismo que te facilitará tu percepción sobre la existencia humana. Coincido con Gustavo que nuestro paso por esta tierra ocurre como la presentación de una gran obra de teatro, en la cual la vida es el escenario y nosotros los protagonistas. No obstante, para poder llevar a cabo eficazmente nuestro rol dentro de esta gran obra llamada vida, necesitamos conocer ciertos elementos que nos permitirán rendir nuestra mejor presentación ante los ojos del cielo y la humanidad. Debo decirte que dichos conocimientos están atesorados en las páginas de este libro. Por tal razón, te hago una invitación a recorrer las páginas de esta obra con una mente abierta, dispuesta y disponible al crecimiento interior. Te garantizo que no te arrepentirás de aventurarte dentro de este escrito. En un mundo lleno de incertidumbre y carente de identidad, resulta vital que podamos obtener una mejor óptica de nuestro paso por este Universo, así como de nuestra participación e impacto en todo aquello que nos rodea. Es mi mayor deseo y fe que al culminar esta lectura logres vivir mejor y vivir al máximo. ¡Bendiciones!

Benjamín Rivera
Cantautor y Conferencista

GUSTAVO FALCÓN

LA VIDA DETRÁS DEL TELÓN

Y SE FUE LA VIDA Y ME QUEDÉ CON GANAS DE ACTUAR...

La vida detrás del telón
Publicado por Kate&Cumen 2017
Monterrey, NL. México

Primera Edición 2017

Edición por: **Roberto Cabrera** (Ciudad de México)
Diseño de portada e interior: **Juan Shimabukuro @juanshima**
Fotografía: **Estudio Montes** (Monterrey Nuevo León)

ISBN-10: 1-947356-04-6
ISBN-13: 978-1-947356-04-7

Distribuido por: Kate&Cumen
www.kateandcumen.com
Dirección: 9602 Antoine Forest Dr. San Antonio Tx. 78254 USA

Impreso en: Estados Unidos de América
Por: VERSA PRESS, INC.
1465 Spring Bay Road
East Peoria, IL 61611

El autor agradece la colaboración especial de:

Aarón Pérez
Juan Shima
Viridiana Falcón
Paulina Falcón
Michelle Falcón
Lily Falcón
Roberto Serrano
Josh Ramírez
Ángel Escamilla
Iván Gaytán
Juan Franco
Coalo Zamorano
Dr. Cesar Lozano
Rodrigo Abed
Carolina Carvajal
Benjamín Rivera
Stephanie Franco

¡Gracias por aportar a La vida detrás del telón su fino talento!

Agradecemos también al Teatro "San Agustin" de San Pedro Garza Garcia, NL, las facilidades que nos dieron para tener nuestra sesión fotográfica que llevamos a cabo exclusivamente para esta obra literaria.

DEDICATORIA

Quiero dedicar este libro a las personas más importantes en mi vida, por las cuales vivo.

A **Dios**, quien es mi inspiración en cada momento.

A **mi generación**, aunque poco comprendida y en su momento rechazada por ser diferente, tiene la convicción de que logrará sus sueños sin importar el precio que se deba pagar. ¡Vale la pena escribir largas horas por ustedes!

A **mi familia**, el regalo más bello que pude haber recibido en la vida. Lily, Paulina, Michelle, Italia. ¡Nada tuviera sentido sin ustedes! Los aplausos que más disfruto son los suyos, los de casa, en pijamas. ¡Les dedico este libro con todas las fuerzas de mi corazón!

A **mis amigos**, los de ayer y a los que van llegando también. Porque la vida a plenitud no es posible vivirla sin amigos. Gracias por darme la oportunidad de reír a carcajadas con ustedes.

AGRADECIMIENTOS

Este libro no habría sido posible sin la ayuda de personas con grandes talentos y disposición. Gracias a mi equipo de trabajo.

Mi más sincero agradecimiento a mi linda novia, amiga e increíble esposa, Lily. Gracias por darme siempre tu apoyo, tu tiempo y tu impulso. ¡Ah, y tus besos!

A mis hijas, por su madurez y su comprensión cuando papi tiene que trabajar y no está en casa. Paulina, Michelle e Italia: ¡son increíbles y son las mejores hijas que puedan existir! Gracias por hacerme reír tanto y por hacerme disfrutar la vida con ustedes, ¡las amo! Gracias por su aportación en este libro.

A mis papás, Gustavo y Mila. Los amo. Es una alegría muy grande tenerlos; gracias por casarse porque de eso salí yo.

A mi hermana Viridiana Falcón, gracias porque aparte de ser una gran hermana, eres una gran colaboradora haciendo brillar nuestro trabajo.

A Jesús Adrián Romero y su esposa Pecos. Gracias por su amistad, sus consejos y, sobre todo, por su corazón dispuesto a cuidar mi corazón. Sé que juntos seguiremos recorriendo más kilómetros y a la vez, ayudando a las personas a ser mejores.

A mi amigo Iván Gaytán, gracias por aparecer en mi vida y en la de mi familia en momentos clave y determinantes para seguir esta carrera, a la cual le queda mucho camino por recorrer.

A Dios todo mi agradecimiento, mi vida, y mi corazón. Gracias por oírme, abrazarme y por dejarme saber que siempre estás conmigo.

¡Ah, se me olvidaba! Un agradecimiento también para ti por comprar este libro.

CONTENIDO

¡LA VIDA PLATICÓ CONMIGO!

ENTRADA AL TEATRO

fotografía: Kevin Lee

No sé quién nos vendió la idea de que la vida tiene que ser perfecta. Muchas veces dejamos de disfrutar la esencia de la vida por intentar darle una personalidad que no le pertenece, cuando todo lo que tenemos que hacer es concluir diciendo: «¡Así es ella!», y entonces vivirla.

A mí también me han dado ganas de que todo el año sean tiempos de «abundancia» y «felicidad»; sin embargo, es natural que de repente experimentemos diversas sensaciones y emociones, aunque no todas sean mis favoritas. Por el paso de esta vida tendremos diferentes sensaciones y distintas emociones; el consuelo o el desconsuelo, no sé qué pienses al respecto, pero es que «nada en esta tierra es para siempre».

La vida es eso que Dios nos regaló para nosotros decidir qué hacer con ella, espero que no muramos en el intento de hacerla perfecta o un absoluto desperdicio, más bien hagamos de ella simplemente la mejor experiencia. No venimos a la Tierra a tenerlo todo, venimos a vivir.

Hay quienes teniéndolo «todo» no viven, como también hay quienes lográndolo «todo» no tienen una vida plena. Así que no se trata solamente de tener o de lograr, sino de vivir. Muchos dejan de vivir para poder tener y para lograr cosas. Eso es trágico. ¿Por qué te digo esto? Porque tras cuatro décadas, ahora entiendo un poco más la vida y porque tuve una conversación con ella, déjame te cuento sobre esa conversación.

Un día muy temprano, estando en un hotel en la Ciudad de México, alguien tocó a mi puerta del cuarto y me despertó. Me levanté de mi cama, abrí la puerta, y cuál fue mi sorpresa que me estaba visitando nada más y nada menos que La Vida.

Sí, damas y caballeros, están leyendo bien, La Vida me visitó.

Al principio no estaba seguro que fuera ella, pues no la vi ni tan perfecta, ni tan optimista, de hecho, siendo sincero, la vi un tanto preocupada y triste, no sé si por las cosas intensas que están pasando alrededor del mundo; aunque tengo que confesar –y con mucho respeto a Lily, mi esposa– que, con todo, La Vida lucía muy bella. Así es ella. La Vida es bella.

Para estar seguro de que era ella, le pedí que se identificara; todavía no terminaba de pedírselo cuando me interrumpió, me dijo:

–Así es, soy La Vida.

Y sin titubear me pidió si podíamos hablar, le dije que me permitiera meterme a la regadera para darme una ducha, y que tan pronto terminara bajaba al restaurante para tomar café juntos y platicar.

Me pidió dos cosas, la primera que no me tardara, porque tenía muchas cosas que hacer, como intentar agradar a millones de personas y contestar un sin número de correos electrónicos de aquellos que le reprochan todos los días mil cosas; y la segunda, que me cepillara muy bien los dientes –la verdad no sé por qué lo diría (jeje), recuerden que me despertó y fui directamente a abrir la puerta, solo Brad Pitt despierta con el aliento perfecto y listo para besar a su amada, ¡yo no!

Yo estaba entusiasmado, La Vida había tocado a mi puerta. Me visitó y quería platicar conmigo. ¿De qué? No lo sé, pero estaba por descubrirlo.

Bajé apenas terminé de ducharme y cambiarme. Llegué al restaurante y ahí estaba esperándome (por cierto, se veía muy hermosa). Me senté en la mesa, bueno, no en la mesa, sino en una silla que estaba en la mesa, y comenzamos a platicar La Vida y yo como nunca en cuarenta años lo habíamos hecho.

–Sabes, Gustavo –¡What!, la interrumpí sorprendido porque sabía mi nombre, pero con gentileza continuó, –yo soy una idea original de Dios como regalo para la humanidad, todo lo creado es para su deleite; de hecho, mi primera experiencia fue un día que salí del aliento de Dios para entrar en un caballero llamado Adán, ahí comenzó mi función en la Tierra. Aunque muchos tienen sus teorías sobre mí, yo solo sé que mi primera vivencia fue salir de la boca de Dios en un Soplo Divino e Inexplicable, y que al entrar en ese caballero Adán, que por cierto era perfecto y muy bien parecido... muy parecido a ti, no en lo perfecto pero sí en lo bien parecido; comenzó una gran historia para aquellos que hoy se llaman humanos.

Ante tales descripciones, yo solo le recordé a La Vida que era un hombre casado.[1]

La Vida me preguntó si creía en Dios, le conteste que sí, y me dijo que sería más fácil entonces entender todas las cosas que me iba a decir.

Siguió hablándome mientras llegaba nuestra segunda taza de café.

–Sé que eres escritor, y también sé qué estás por escribir un libro nuevo y me gustaría pedirte que le digas a tus lectores algunas cosas importantes sobre mí, ya que la mayoría de las personas tienen un concepto equivocado de lo que soy. ¿Sabes que la gente piensa que soy mala e injusta? Aunque no lo creas, unos me aman y otros me odian, unos no me quieren dejar y se aferran a mí, cuando yo solo soy un regalo pasajero; otros intentan tirarse de un puente para irse de mí antes de tiempo. Creo que ustedes los humanos no saben muchas cosas acerca de mí. Fui creada para que ustedes me disfrutaran, me contemplaran y me valoraran. De hecho, soy ese misterio eterno y a la vez efímero. Soy víctima de muchas frases y dichos que se valen de mí para quejarse y echar culpas. Dicen de mí que soy «costosa»; de verdad Gus, les he escuchado decir eso, pero si pudieran ver que las cosas que realmente vale la pena disfrutar son gratis, pensarían de otra manera. Tengo tantas cosas que son gratuitas para las personas, tales como sonreír, tener amigos, respirar, mirar el cielo, contemplar los árboles, observar los atardeceres, tomar un café en casa con las personas que amas para contar historias del pasado; abrazar también es gratis, y si no se tienen vivencias pues ¡hay que inventarlas!, porque para eso tenemos una imaginación épica. El problema de la

---

1. No olviden que es el relato del escritor, es él quien está contando la historia, posee entonces el derecho de auto llamarse «bien parecido».

humanidad es su materialismo que no les deja ver todas estas cosas, y que viven en una ridícula competencia de quién tiene más y de quién ha logrado más. Se dicen tantas cosas de mí, qué muchas de las veces me sorprendo. Un cantautor mexicano dijo de mí qué no valía nada; sé qué no me lo puedes creer Gus, pero la cantaba con tanto sentimiento que había momentos que hasta yo me la creía. ¡Imagínate eso! Para ser exacta, la frase de aquella canción dice así: No vale nada la vida, la vida no vale nada. Y yo me pregunto, ¿pues qué le hice a este señor? Soy protagonista de muchas canciones, como también de muchos dichos populares de acuerdo al estado de ánimo de la gente.

Así La Vida hablaba conmigo, mientras clavaba su mirada en un punto fijo de la taza del café, pensativa.

–Después entendí que la gente tiene distintos enfoques sobre mí y los entiendo –continuó después de un sorbo–; debo confesar que muchas de sus frases y canciones sobre mí me han divertido en momentos difíciles. Gustavo, no quiero sonar quejumbrosa como muchos de ustedes, pero necesito expresarme diciendo que los humanos me piden ser perfecta sin ustedes serlo, me piden que todo vaya bien sin que ustedes tomen buenas decisiones, me piden no ser cruel.

Entonces la interrumpí y pregunté: ¿Por qué cruel?, a lo que respondió:

–¡No sé!, solo escucho a la gente exclamar «¡Dios mío!, ¿por qué la vida es cruel conmigo?»; y yo solo me pregunto por qué piensan eso de mí, si la crueldad está en sus corazones y lo que el hombre siembra, eso cosecha. También dicen de mí que soy egoísta y que todo aquel que nace viene a la tierra para que yo lo haga sufrir. Pero quisiera gritar a los cuatro vientos que yo soy muchísimo más sencilla de lo que se imaginan, más simple de lo que piensan y no exijo mucho como todos creen. Ah, tampoco es cierto que mi deporte favorito sea arruinar a las personas. Gustavo, me gustaría que le explicaras a las personas que todas las cosas difíciles que pasan son de lo más normal, que les digas que no todos pueden ser el número uno, o que no todos tienen que llegar a la cima, que no todos tienen que ser millonarios, que tampoco no todas las mujeres se pueden casar con un hombre tan espectacular como tú, por ejemplo.

–Pues, ¡gracias! –respondí.

De pronto, entramos a una conversación con más interacción.

–¡De verdad quieres que les diga todo eso! –exclamé–, sabes que yo soy motivador, ¿verdad?

–Así es, y puedes ser realista sin ser pesimista, ¿no crees?

–Tienes razón, lo intentaré.

–Déjales saber que detrás del telón hay una realidad inevitable; rompe por favor esa burbuja de la vida perfecta, porque soy bella como tú dices, pero no perfecta.

–Creo que me estás dejando una tarea muy extrema –le dije tratando de que entendiera la magnitud de lo que me estaba pidiendo.

–Lo sé, pero tu libro puede ser un medio para animar a la gente diciéndole que nada de malo tiene perder de vez en cuando. Los puedes animar diciéndoles que hay cosas que nunca serán para ellos, y que habrá sueños que nunca se realizarán, pero que no por eso tienen que pensar que yo soy mala y que no pueden disfrutarme y ser felices.

–Pero ¿estás loca?, cómo pretendes que yo les diga eso. ¿Sabes lo que dirán de mí?, que soy una persona que perdió la fe, que soy un motivador que desmotiva y que estoy hablando como nunca lo había hecho. Me estás pidiendo que los anime con palabras no muy alentadoras.

–Gustavo Falcón, te conozco muy bien, así que ¿de cuando a acá te importa lo que diga la gente? Siempre has hecho cosas que, aunque se levante el mundo contra ti, las haces porque tienes la convicción que eso ayudará a las personas. Ahora te pido que comuniques, ten por seguro que este mensaje liberará a mucha gente.

–Ok, lo haré; aunque para serte sincero pensaba que mi séptimo libro sería un best seller porque la verdad tenía en mente escribir otra cosa, algo así como «Tres pasos para ser millonarios» o «Si no eres próspero, no serás reconocido»; pero veo que me tendré que esperar al octavo libro. Escribiré lo que pides, aunque este libro pueda llegar a ser uno más.

–Gracias Gustavo, por eso te busqué a ti, sabía que lo harías. Es más, te daré un consejo que creo te puede ayudar: sería fantástico que llevaras a las personas a dar un recorrido, un «detrás del telón», para que se den cuenta de todas las cosas con las que se pueden topar y que son parte del diario vivir, y donde las cosas no siempre pueden estar bien. Guíalos para que puedan ver que todo lo hermosa que es la puesta en escena, es algo que trae consigo un precio que pagar, allá donde nadie ve.

–¡Wow!, buena idea, lo haré.

Nos despedimos La Vida y yo dándonos un abrazo, le agradecí por visitarme y ponerme a pensar en todas estas cosas, así como por el fuerte desafío: decirles a las personas todo lo que siempre quise decirles, pero que por prejuicios y por el qué dirán, no lo había hecho.

Antes de darse la media vuelta e irse, me miró y me dijo:

–Gustavo, me caes muy bien.

–Tú también –le respondí–, de hecho, siempre hablo bien de ti.

–Lo sé, por eso me caes bien.

Me lanzó un guiño, y se fue; pasos adelante y sin voltear me gritó: «¡Suerte Gustavo!», lo que se escuchó en todo el restaurante, de aquel hotel, en aquella peculiar mañana, de ese invierno raro en el que La Vida me visitó.

La temporada comenzaba a tener matices raros. Salí del restaurante para regresar a mi habitación, pero con las ganas de gritarle a todo el mundo: ¡Hoy tuve una cita con La Vida y platiqué con ella!

¡Bienvenido de nuevo! Esto será un viaje detrás del telón.

INTRODUCCIÓN
EL CAMERINO

Ven conmigo, te invito a platicar en el camerino de este teatro que tanto tiene para enseñarnos, antes de que arranques tu lectura.

Me temo que este no será el libro que esperas.

Pero, ¡detente!, no lo sueltes.

Este no será el libro que esperas, pero sé que es el ***libro*** que necesitas.

NOTA IMPORTANTE: este libro no te hará millonario, ni te hará encontrar tu media naranja, mucho menos hará que tu suegra desparezca, no hará nada de esto, pues es solo un libro.

Quiero llevarte a conocer por detrás del telón de la vida y también mostrarte la vida detrás del telón.

Te sorprenderás al descubrir dos cosas, primero, que eres un actor y, segundo, que eres el protagonista de una gran puesta en escena con el guion del mejor escritor.

Ser realista sin ser pesimista es mi mayor desafío con esta mi nueva obra. No sé si será una obra literaria leída en demasía, pero ya está escrita y ahora está en tus manos.

Nunca me he considerado un erudito o un *sensei*, mucho menos un sabio y prolífero filósofo, pero creo que a mis... este... mmm... está bien, a mis 40 años de edad, algo le sé a la vida.

No soy experto en nada, solo trato de vivir la vida sin complicármela y a veces me sale.

No seré místico, ni complicado, ni nada por el estilo, solo intentaré ayudarte con las cosas incómodas del día a día para que, al terminar de leer la última página y le des el cerrón final a la tapa, te levantes de tu sillón y puedas gritarle al mundo: ¡*Wow*, no soy el único que está pasando por estas cosas negativas de la vida! Y después de gritarlo, vayas corriendo al espejo y te mires diciéndote a ti mismo: ¡Ánimo, que la vida *sigue*!

Sé que después de hacer todo esto te sentirás un poco ridículo, pero es un ejercicio muy efectivo, te ayudará a salir y dar tu mejor actuación en la siguiente función de la vida.

Pongámonos de acuerdo tú y yo en esto: la vida es *inestable* para poder renunciar al terrible afán de buscar todos los días la estabilidad, estamos en un mundo cambiante, que gira todos los días, aun la Tierra gira todos los días, lento para ti y para mí, pero al final de todo nunca está en el mismo lugar.

Renunciemos pues a la estabilidad y preparémonos para esos cambios de la vida que nos mete en diferentes episodios no buscados, ni mucho menos esperados; muchos serán en ocasiones cambios bruscos, muy bruscos, sé por qué te lo digo.

Llevarte por detrás del telón será emocionante y divertido, también es parte de mi trabajo ahora. Me gustaría poder ver tu cara mientras lees, ver tus expresiones, tus lágrimas y también tus risas. Siempre he dicho que esto no se trata de la vida que nos tocó vivir, sino de la vida que escogemos vivir, y quiero ayudarte a escoger bien. Ayudarte a comprender y aceptar que hay problemas, circunstancias negativas a las que tenemos que aprender a adaptarnos por un periodo de tiempo, no siempre los problemas se enfrentan desde el primer momento que aparecen, existieron guerras que se planearon en años y se ganaron en un solo día, no enfrentaron al enemigo en el primer momento que les declaró la guerra.

¡Ups!, siento que este último comentario te haya incitado a tirar a la basura este libro porque dije que "hay que adaptarnos a los problemas y a las cosas negativas", pero me alegro que no lo hicieras porque quiero tener la oportunidad de que descubramos juntos que aun ante tales circunstancias, podemos dar la mejor actuación jamás pensada.

Hay personas que solo saben actuar bien, brillar y tener una sonrisa en sus labios cuando todo está marchando sobre ruedas, pero ese no será nuestro caso. Tú y yo caminaremos por esa pasarela que es la vida, pero con mucho *estilo*, esa es mi intención al escribir este libro.

Siempre quise ser actor, y tuve que llegar a los cuarenta para darme cuenta que lo soy, así es, todos los días salgo a escena para tratar de dar mi mejor actuación ante la vida. En esta obra de drama, de amor, a veces de comedia y algunas otras veces de terror, no seré un galán de película, pero sí el protagonista de mi propia historia, y mi deseo es que tú también te convenzas de que eres el protagonista de tu propia historia, y que salgas y celebres que el telón se ha abierto.

Voy a necesitar que le pongas mucha imaginación para verte como un gran actor que está detrás de un telón esperando a que se abra para salir a vivir la noche de su vida, tanto así que al otro día los diarios en sus primeras planas hablarán de ti y de la gran actuación que diste.

Pero... tendré que dejar de escribir ahora mismo porque han llegado por nosotros, sí, por ti y por mí, para ir detrás del telón.

¿Qué quien llegó?: la *inspiración* y la *realidad*, juntas haciendo una fusión. ¡Acompáñame!

ESTA ES LA TERCERA LLAMADA...

COMENZAMOS.

CAPÍTULO 1

DETRÁS DEL TELÓN

LA ANALOGÍA DE LA VIDA

La Vida
es un
regalo
pasajero
que
debemos
disfrutar.

Soy ese tipo de persona que le gusta el teatro. Sin considerarme un experto en la materia siempre he tenido el deseo de ser parte de una puesta en escena. Son de esos sueños que no les prestas mucha atención, pero que si te asomas a lo más profundo del corazón ahí están.

Imagino que la adrenalina que se siente en ese medio debe ser genial, la incertidumbre del qué pasará, el misterio de si se llenará el teatro o no, estar detrás del telón sin saber lo que pasa allá afuera; actuar en vivo frente al público sin la opción de que alguien diga "¡Corte!, ¡repetimos!" si llegara a equivocarme. Creo que todo esto es muy emocionante.

Siempre he pensado que la vida es como una gran puesta en escena, es por eso que me atrevo a hacer una analogía en cuanto a esto.

Siempre he pensado que tener un libreto en la mano, tener que memorizarlo, darle vida a un personaje y usar todos los sentidos en el escenario debe ser fabuloso, aunque estoy seguro que no es nada fácil.

Así me he sentido en este camino de la vida, y sé que tú también.

A veces, en medio de mi locura, pienso:

Estoy en la mejor puesta en escena y se llama La Vida.

Soy parte de un libreto que alguien escribió.

Soy yo el protagonista de esta historia.

Soy yo el que le tiene que dar vida a este personaje.

Emocionante, ¿no?

Solo que, en ocasiones, al ver todo lo que hay detrás del telón de mi vida, reflexiono en que nada será fácil. De eso tenemos que estar seguros: ¡nada será fácil!

Creo que para eso estoy aquí escribiendo este libro, para decirte que las cosas no son más complicadas de lo que piensas.

¡Momento! No sueltes este libro, continúa leyendo, yo sé lo que te digo.

Sigamos conversando, porque no solamente estás leyendo, también estamos conversando tú y yo.

Yo escribo, tú lees, y juntos sacamos conclusiones.

Al decirte que en el andar de la vida te encontrarás cosas difíciles de enfrentar, es solo para triturar un positivismo que solo hace daño lejos de ayudar. Todavía recuerdo cuando alguien en el afán de motivarme me dijo: solo piensa positivo y tendrás un gran día, y justo después de ese momento me llamó Lily mi esposa y me dijo: "Flaco, mi mamá vendrá a vivir con nosotros por tres meses". ¡Créanme que no funciona así!

Recuerdas cuando el maestro te decía: "Mañana hay examen y estará muy fácil", y tú: "Gracias a Dios no tengo que estudiar"; pero al siguiente día en el examen solo pensaste: "¡Viejo mentiroso!, nos mintió este desgraciado, nos dijo que sería fácil". Y todavía ibas a reclamar por qué ***había dicho*** que el examen sería fácil si está más difícil que cualquier otra cosa en el mundo; que sería más fácil que un equipo de la liga mexicana le ganara al Real Madrid que su examen. La respuesta obvia de un maestro siempre ha sido: "El examen es fácil para el que estudió". ¡Uff!, debo confesar que esa respuesta provocaba un corto circuito en mi cerebro.

Por eso me siento mucho mejor cuando digo a las personas que las cosas de la vida muchas veces serán difíciles, complicadas; que en el camino, cuando menos lo pensamos, se pondrán complejas; que todo tiene un costo a pagar cuando se aspira a cosas grandes; en lugar de venderles la idea falsa de que todo es fácil, que todo lo bueno ocurrirá de la noche a la mañana, y que si piensas con todas tus fuerzas que un carro del año estará afuera de tu casa solo por pensarlo positivamente, en realidad nunca estará.

Me siento más honesto como comunicador al hablar de la realidad y no de una ficción barata (¡ups!, estoy pensando en voz alta). Todos quisiéramos que la vida fuera fácil y sin complicaciones, desearíamos que el resto de nuestra vida sea como esa noche donde la puesta en escena fue perfecta en la obra de teatro, sin errores, sin peros, brillante, fluida, divertida, llena de emociones, con momentos de drama pero con finales felices, llena de glamur y aplausos; algo así como una noche perfecta con teatro lleno, celebridades en primera fila, la prensa hablando maravillas y un público que al final aplaude de pie sin parar por largos minutos.

El tiempo que más ha durado un público aplaudiendo al final de una puesta en escena es de 80 minutos ininterrumpidamente, y fue después de una magistral interpretación de Plácido Domingo en 1991 en Viena, Austria.

Sí, sé que a veces sentimos tener ese día perfecto. Pero un día perfecto no convierte el resto de la vida en algo perfecto. Recuerda, solo fue eso, *un día* perfecto. Al siguiente día hay que comenzar de nuevo, el escenario pudo haber cambiado. Hay actores que una de sus obras en las que trabajaron fue exitosa, pero la siguiente un rotundo fracaso (ya dije la palabra “fracaso”, más adelante hablaremos de esta temida palabra).

Podemos tener ese día perfecto, lo acepto, lo he tenido al igual que tú. Fue el día, por ejemplo, que la chica de tus sueños te dijo que sí. Sé que ese fue tu día perfecto, pero no se te olvide que ahora tienes una relación que alimentar, cuidar, cultivar, defender, llorar en muchos de los casos, porque amar duele, aunque no lo creas. Y en ocasiones, mucho. Ese día perfecto donde tuviste la cita de tu vida en esa empresa donde tanto soñabas trabajar y te dijeron que estabas contratado, que eras el mejor de entre tantos candidatos que entrevistaron, que tu perfil sobresalió de entre muchos, que tu imagen es perfecta para lo que ellos estaban buscando; y te dijeron el sueldo que recibirías y tuviste que pedir tiempo para ir al baño porque no te la creías, y luego al regresar te mencionan el carro que te darían, y, por si fuera poco, te dijeron que tendrías un asistente personal. Saliste de ahí como Peter Pan volando entre las nubes y pensando: "¡Hoy es un día perfecto!".

Efectivamente, así fue.

Pero recuerda que tendrás que ir a dormir por la noche para al otro día comenzar en tu nuevo empleo, haciendo frente por primera vez en ese lugar al gran desafió de demostrar que sí eres la persona que dijiste ser en esa entrevista, demostrar que sabes lo que dices saber en un papel, y demostrar que eres maduro para soportar las críticas llenas de envidia que muchos de tus compañeros harán sobre ti, el nuevo. Ese "día perfecto" era solo la antesala de los desafíos más grandes a los que estarás próximo a enfrentar.

Y así, después de cada día perfecto hay que ir a dormir, porque al siguiente día habremos de comenzar otra vez a *hacer el día*.

MOMENTOS

Hay momentos en los que quisiéramos poner pausa para que nunca se vayan y se queden con nosotros para siempre. Pero no se puede, por eso le llamamos *momentos*. A veces son únicos, a veces repetibles, aunque no siempre. Los grandes momentos son caprichosos y a veces arrogantes, de pronto son como un *rockstar*, no se dejan ver, los invitas y no llegan, y si llegan solo son eso, momentos, que después se van.

Hay sonrisas que quisieras poner en pausa y que no se fueran nunca, quisiéramos disecar a esa persona que tanto amamos cuando la vemos sonreír (me da risa de imaginar a mis hijas disecadas). Pero es imposible literalmente inmortalizar los momentos, porque esas sonrisas se irán a hacer feliz a alguien más, son fugaces, son libres, se tienen que ir a recorrer el mundo, y cuando esa sonrisa se va, nos deja la tarea de provocar más, de caminar por los pasillos del teatro en busca de más.

Hay *abrazos* que quisiéramos que fueran una eternidad, que nunca pasaran, que esa persona que te está abrazando nunca te soltara. Pero tendrá que hacerlo, la vida debe continuar y no se puede detener en un solo abrazo por más increíble que sea para ti. Me duele decirlo, pero en este camino hay algo más que abrazos y a veces tardarán en regresar, es por eso que cuando llegan los disfrutamos al máximo –debemos–, pero sin aferrarnos a ellos.

CUANDO LLEGA UN ABRAZO DISFRÚTALO AL MÁXIMO, PERO NO TE AFERRES A ÉL.

Hay *conversaciones* que quisiéramos que nunca terminaran, poner en pausa ese momento en el que estamos escuchando sabiduría y ánimo a nuestros oídos y que apacientan nuestro espíritu y trae refrigerio a nuestra alma. Pero esas conversaciones deberán llegar al final en algún momento para darnos la oportunidad de seguir por la vida y poner en práctica lo aprendido en aquel momento, quizá alrededor de aquella brillante fogata.

Y qué hay de ese momento en que tu equipo de futbol ganó por goliza, también quisiéramos que nunca se fuera.

LOS MOMENTOS SE VIVEN INTENSAMENTE PORQUE LA NATURALEZA DE ELLOS ES DESAPARECER.

Te das cuenta lo divertida que es la vida. Bueno, creo que yo la siento divertida mientras otros la llaman mala o injusta. Pero debes saber que todas esas cosas que suceden detrás del telón de la vida y que parecen innecesarias y aun contrarias, son necesarias para calarnos ante el vertiginoso ritmo que muchas veces lleva la vida frente a nosotros.

ESA PRIMERA VEZ EN UN TEATRO

La primera experiencia que tuve frente a una puesta en escena fue tanto mi deleite ante el profesionalismo, la pasión y el talento de los actores que me pareció que estar allí arriba, era tan fácil, como si cualquiera pudiera hacerlo. Al menos así lo pensé yo. Hasta que un día, gracias a un actor profesional amigo mío que me permitió vivir por una tarde "un detrás del telón", me cambió mi forma de pensar. Ese día concluí que ***nada de lo que deja un fruto de éxito es fácil en esta vida*** (La Vida ya me lo había dicho en aquel restaurante: *"Yo nunca les he dicho que es fácil"*).

Pues lo mismo pasa en la vida real, vemos personas triunfar, ser número uno en lo que hacen, exitosos en lo que emprenden, y nos parece que es fácil lograr lo que ellos lograron. Pero al intentar ser como esas personas, terminamos frustrados porque las cosas no nos salieron como a ellos. Ver detrás del telón de la vida es enterarnos de primera mano de todas las cosas que hay que enfrentar, vencer y experimentar antes de estrenar la gran puesta en escena de nuestra propia vida.

Las cosas no son tan fáciles como para esperar a que todo suceda por arte de magia; pero las cosas no son tan difíciles tampoco como para no intentarlo. Los que motivamos, los que comunicamos y escribimos tendríamos que ser más honestos con las personas y hablarles desde la realidad y no escribir lo clásico de la literatura del optimismo: "Sé millonario, encuentra a la chica de tus sueños, y sé dueño del mundo en tan solo tres pasos". Eso no va a suceder, así no; o tal vez no, tal vez algún día, mmm... tal vez nunca; a otra persona tal vez sí, pero a ti puede que no. Creo que debo ser más honesto y quitar el "puede que sí" o "puede que no" y decirte la neta: a ti no. Porque lo que otro logró, tú no lo vas a lograr no porque seas un perdedor, sino porque significa que tú lograrás otra cosa, y aun puede ser mayor.

Hace algunos años tuve muchos sueños.

Hoy estoy convencido que no seré cantante, ni piloto de avión, ni futbolista profesional, ni actor de teatro, mucho menos director técnico del Real Madrid.

¿Soy mediocre? No, soy realista, ubicado, enfocado, sí, enfocado en lo que hago, enfocado en lo que sé hacer y que puede traer resultados increíbles que me dan satisfacciones todos los días mientras voy por la vida siendo un admirador de los que cantan, de los pilotos de avión, de los futbolistas, de los actores, y de aquellos que son las cosas que alguna vez soñé ser. Muchas de estas personas que están en estas distintas profesiones me han expresado su admiración y respeto por lo que hago.

Todavía recuerdo cuando en un vuelo, el piloto hizo una distinción hacia mi persona, dijo que todos tenían el privilegio de que yo fuera en ese vuelo. Me da risa porque todavía recuerdo las caras de la gente como diciendo: *"¡Quién es este tipo, ni en su casa lo conocen!"*; otros tenían cara de: *"¿Será Tom Cruise?"*. El piloto que mencionó mi nombre por la bocina del avión y que me hizo levantarme tenía admiración por mi persona (y yo admiro su trabajo, siempre soñé volar un avión como él). Al aterrizar, salió de la cabina, me dio un abrazo y me pidió que le firmara mi libro, y me dijo: "Qué daría yo por escribir un libro". ¡Sí!, yo codiciaba su profesión, y él codiciaba la mía. ¡Qué cosas, ¿no?!, pero así somos.

ENTENDAMOS QUE LOS LIBRETOS CAMBIAN SEGÚN LAS PERSONAS.

Ves que no tenemos por qué tener todos la misma historia. Ni aun una misma meta por conquistar, porque hay diferentes caminos para llegar a ella.

Intento que descubras tu propio camino y no vivas frustrado buscando ir por caminos andados por otros y que solo te harán perder tu tiempo, tu vida.

Es bueno inspirarse en otras personas, pero no obsesionarnos en tener y ser todo de esa persona. Esto puede robar tu identidad. Cuidado, porque las historias repetidas suelen ser aburridas. Las grandes historias de éxito tuvieron su particularidad, su propio detrás del telón y su propio precio a pagar. Ha habido películas épicas donde durante o después del rodaje ocurrieron grandes y lamentables tragedias.

REALISTA SIN SER PESIMISTA

Cuando decidí escribir este libro, lo primero que pensé fue: ***debo ser realista sin ser pesimista***. Espero lograrlo, espero escribir lo que libere y quite las culpas que muchos tienen por no ser como otros.

Sé que tienes sueños y quiero que los persigas.

Sé que estás por emprender algo y deseo que continúes con ese plan.

Sé que dentro de ti hay un entusiasmo de ganar en la vida y anhelo que continúes con esa actitud.

Sé que tienes una mentalidad ganadora y te pido que no la cambies.

Sé que buscas ser el mejor y te animo a que lo que lo sigas buscando.

Sé que deseas el matrimonio ideal y eso es fabuloso.

La pregunta es: ¿qué será de ti si nada de esto sucede?

¿Se terminó *tu vida*?

¿Significa que la vida conspiró contra ti? ¿Tienes acaso un plan de contingencia? ¿O la capacidad de darle vuelta a la hoja y seguir intentando cosas nuevas? ¿Tendrás la honestidad de aceptar que quizá no sirves para eso?

¿O la humildad de aceptar que alguien te diga que no tienes el talento?

Un plan de contingencia por si las cosas no salen como se desea –está probado– puede facilitar muchas cosas. Esa es mi preocupación que nadie se toma el tiempo para enseñarnos a tener un plan de contingencia si perdemos. Por eso hay un sinnúmero de personas deprimidas, otras ya no están en esta tierra por que se quitaron la vida al sentir que fracasaron, otros están amargados pensando solamente quién se las va a pagar, otros están enojados con la vida porque las cosas no salieron como planearon. Todo esto que se siente ante el fracaso en cualquier caso es porque no tenemos un plan de contingencia. No siempre las cosas podrían salir como se quiere o desea.

Y esto nos lleva a pensar que la vida se terminó, porque nadie nos dijo cómo seguir si todo esto llega a suceder. Pero lo interesante de todo esto es que a pesar de las cosas negativas que nos suceden, nosotros paramos el reloj, pero la vida no, porque ***la vida sigue***. Así que tú sigue, siempre hacia adelante. Yo solo sé que debes seguir, te pido que sigas. Mi tarea es llevarte por detrás del telón para que tomes las precauciones precisas antes de la función; ayudarte a tener la mentalidad correcta y que estés consiente que habrá momentos donde las cosas no saldrán bien, pero, como se dice en el argot teatral, ***el show tiene que seguir***.

HAY AUDICIONES EN LA VIDA EN LAS QUE NO SEREMOS ELEGIDOS.

Lo sucedido no puede detener tu vida, debes seguir. Es por esto que es necesario este recorrido detrás del telón. Todo lo que estás por leer en los próximos capítulos son cosas que solo se ven tras bambalinas.

Antes que otra cosa, primero necesito que tú y yo tengamos la misma perspectiva sobre el telón.

TELÓN

Me ha tocado estar en muchas obras de teatro, y lo primero que veo al entrar es un *telón* separando el escenario del público, de los mortales espectadores. Me parece como si el telón estuviera separando la realidad de la ficción.

La tentación que me da al ver ese telón es ir y asomarme para ver qué hay detrás. ¿Qué estará pasando allá adentro? ¿En qué están pensando los actores? Me pregunto si los técnicos de iluminación están listos y también, ¿qué sentirá la persona que abre o sube el telón?

Todo esto me provoca ver un simple telón.

Necesitamos tener tú y yo la misma perspectiva sobre el telón.

Un telón es el lienzo o cortina corrediza que separa el escenario de un teatro de la sala y los espectadores, pudiendo abrirse y cerrarse en vertical (*que caiga el telón*) o en horizontal (*corran el telón*).

El llamado *telón de boca* es el gran telón que cierra la embocadura a la altura del proscenio; se mantiene cerrado antes del comienzo de la representación y durante el intermedio o los entreactos, a fin de ocultar al público los posibles cambios en la escenografía.

El término telón también se usa para señalar el final de una obra puesta en escena.

Estos significados nos ayudarán para aplicar algunas cosas prácticas de la vida. Siempre he sido un curioso por todo lo que ocurre detrás del telón, por aquellas cosas que la mayoría desconoce y no les interesa por simplemente estar preocupados en la obra, ignorando todos los detalles, complicaciones y demás.

QUÉ PARECIDA ES LA VIDA A ESTO DE UNA OBRA DE TEATRO Y SU FAMOSO TELÓN

Cada mañana al levantarte es como estar detrás del telón, porque cuando sales todo ***bien arreglado*** debes saber y recordar que hay una puesta en escena por actuar frente a ti. Ese es tu nuevo día. Todos hemos sentido ese nerviosismo al salir ese día importante a escena, donde te esperan desafíos, una importante entrevista, esa cita que pareciera que tiene tu futuro en sus manos, ese examen definitivo, esa audición única, esa cita donde pedirás a tu amada matrimonio, esa reunión con tu jefe donde ***renunciarás a lo seguro para emprender lo inseguro***, o ese día donde terminarás una relación de años, y no me refiero solo a una relación sentimental con una persona, sino también a esas cosas únicas donde tienes que llevar tu perrito a dormir debido a una enfermedad irreversible.

¿Qué nivel de actuación tendrás ante este tipo de cosas?

Y qué me dices de tener que experimentar el misterio de si estarás rodeado de gente, o seguirás siendo ese solitario como cuando estás detrás del telón, porque si no te has dado cuenta, te digo que detrás del telón de la vida puede haber mucha soledad.

¿Te has puesto a pensar qué estará sucediendo allá afuera antes de salir a la calle?

Nos invade la incertidumbre de si será un gran día o no. En lo cotidiano quizá ni pensamos en ello. Pero: o das una buena actuación o será el peor de tus días. Solo estoy refiriendo algunas cosas que vive un actor de teatro antes de salir al escenario.

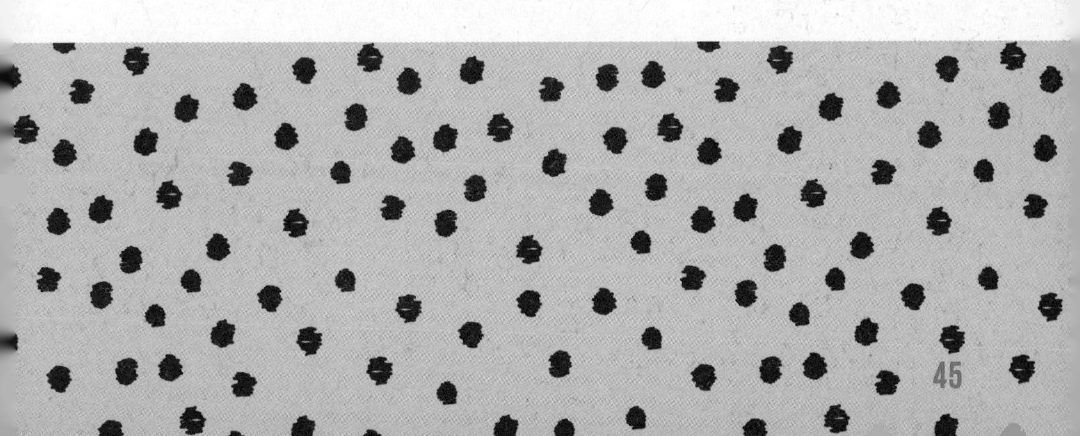

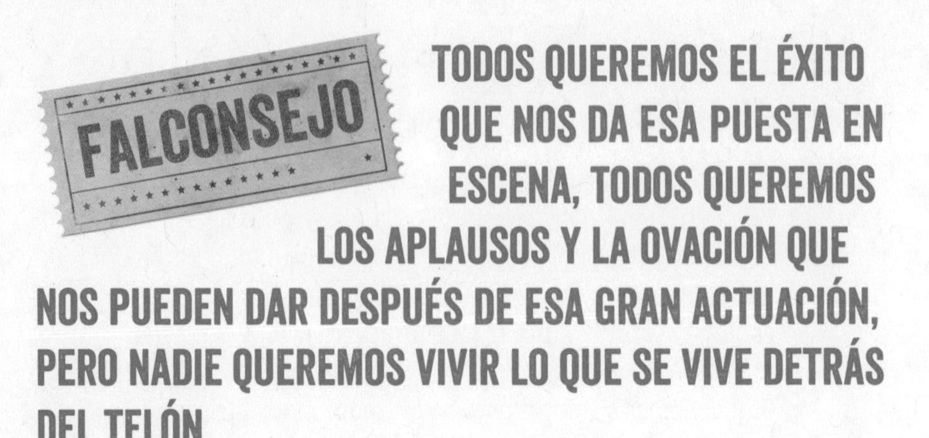

TODOS QUEREMOS EL ÉXITO QUE NOS DA ESA PUESTA EN ESCENA, TODOS QUEREMOS LOS APLAUSOS Y LA OVACIÓN QUE NOS PUEDEN DAR DESPUÉS DE ESA GRAN ACTUACIÓN, PERO NADIE QUEREMOS VIVIR LO QUE SE VIVE DETRÁS DEL TELÓN.

LAS COSAS DIFÍCILES

Enfermedad, desanimo, cansancio, una mala noticia antes de salir a escena. Es ahí donde la vida nos prueba para saber de qué estamos hechos.

LA SOLEDAD

Saber que el teatro está lleno; pero no están ninguna de las personas que amas, y salir y sonreír como si toda esa audiencia fuera conocida para ti, pero una vez que se cierra el telón por última vez en la noche tendrás que regresar a esa soledad que espera por ti.

LA DISCIPLINA

Un día alguien me dijo que para lograr objetivos necesitamos dejar de hacer lo que nos gusta, para concentrarnos en hacer las cosas importantes de la vida que no nos gustan. Así defino yo *disciplina*. Un precio que pagar para después ganar. Pagar es primero, recoger lo que se compra es después.

Me atrevo a pensar que cuando un actor sabe que el teatro está vacío, lo que menos quiere es que el telón haga su recorrido por más profesional que sea. Creo que esto sucede también en la vida. Todos hemos tenido momentos donde no queremos que el telón haga su recorrido porque no nos sentimos listos, y llegamos a pensar que solo saldremos a hacer el ridículo y que es mejor que el telón se quede donde está, para que nos esconda y así sentirnos seguros.

¿Has estado en ese momento donde no quieres salir a la puesta en escena de tu vida?

¿Has vivido esa incertidumbre de qué pasará?

¿Te has sentido inseguro?

¿Has llegado a pensar que no estás listo?

Debo confesarte que mi respuesta a estas preguntas es, sí. Muchas veces he decidido quedarme detrás del telón. Pero de pronto aparece esa voz que anuncia: "Esta es la tercera llamada, tercera llamada, ¡comenzamos!". Y entonces no me queda otra opción que salir a escena y comprobar por mí mismo lo que sucederá.

SIEMPRE HAY UN TELÓN SEPARANDO NUESTRA REALIDAD DE LA FICCIÓN, ES DECIR, DE QUIENES SOMOS REALMENTE Y QUIENES QUEREMOS QUE LA GENTE CREA QUE SOMOS.

EXISTE TAMBIÉN ESE TELÓN QUE NOS PERMITE ESCONDER TEMORES, COMPLEJOS, ERRORES, TRAUMAS Y ESO... SÍ, ESO QUE JAMÁS NADIE SABRÁ.

LA VIDA DETRÁS DEL TELÓN

Pero no siempre tendrás ese telón resguardándote, habrá un momento que se levantará dejándote al descubierto. Por eso, mientras ese telón está abajo, resolvamos cosas ***detrás del telón***. La vida no se detendrá por lo que hay detrás de ese telón.

Mientras escribo me surge la siguiente pregunta: ¿el telón viene siendo como una especie de cómplice para nosotros? En realidad, mmm... no lo sé. ¿Tú qué opinas? No resolveré este acertijo, lo dejaré para que tú lo resuelvas.

VEAMOS AL TELÓN EN ACCIÓN

El telón cubre todo el desastre que dejó la excelencia que se pudo ver en el escenario. Es decir, ***los aplausos que ese gran actor se ganó en ese momento sobre el escenario, los pagó en el pasado con lágrimas detrás del telón***. Así que rompamos la idea de que las grandes conquistas se logran con un boleto de lotería, o que de la noche a la mañana aparecerá frente a ti lo que tú tanto quieres. Existe todo un trabajo sucio previo para poder llegar a la noche de la gran gala vestidos de etiqueta. Cuando digo trabajo sucio me refiero a pagar el precio haciendo aquellas cosas que nunca imaginamos que haríamos, como tomar una escoba para barrer ese restaurante que ni siquiera imaginamos que un día será nuestro.

Existe un tiempo de probarse ese traje para mandarle a hacer su trabajo, sus ajustes y su planchado antes de brillar en la pasarela.

EN LA DEFINICIÓN DE LA PALABRA "TELÓN" ENCONTRAMOS QUE ES UTILIZADO PARA OCULTAR AL PÚBLICO LOS POSIBLES CAMBIOS.

"No hay mejor manera de celebrar La Vida que viviéndola en libertad.

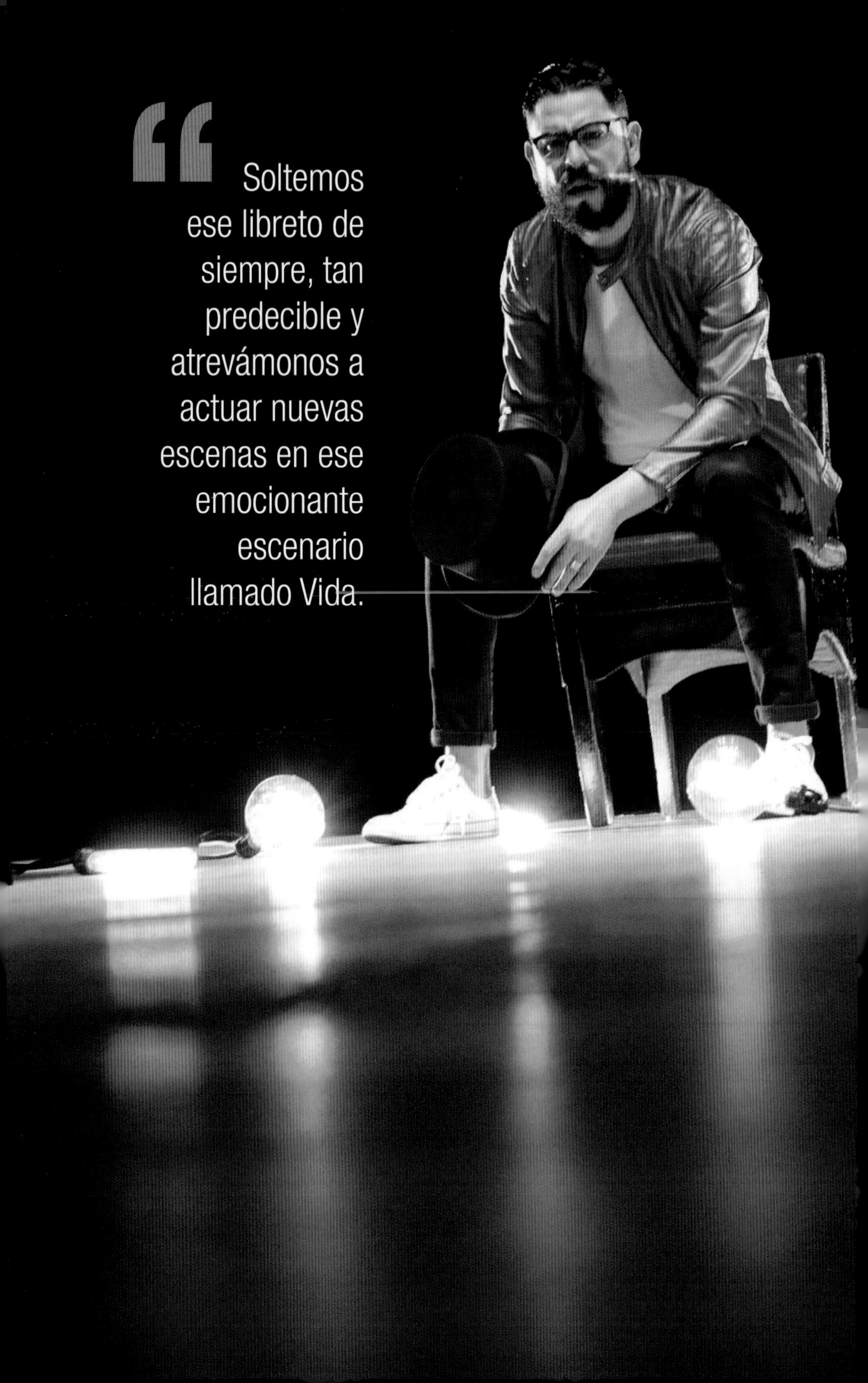
"
Soltemos
ese libreto de
siempre, tan
predecible y
atrevámonos a
actuar nuevas
escenas en ese
emocionante
escenario
llamado Vida.

“No siempre
es malo llorar
hacia adentro,
lo malo es dejar
esas lágrimas
ahí atrapadas
para siempre.
¡Se vale Llorar!

“Los fracasos
son extraños
escalones
que pueden
llevarnos
a la cima
LIBRETO

Hay cambios en nosotros que no necesitan testigos, así que ese público que te observa por la vida debe desaparecer en el preciso momento en el que esos cambios comienzan a suceder. Es en ese momento donde *el telón debe caer* y separarte de todos los demás.

LA METAMORFOSIS NO NECESITA APLAUSOS, ES MEJOR A SOLAS.

Nunca vemos al público aplaudiendo al personal de mantenimiento por estar cambiando la escenografía detrás del telón. Así que de pronto caerá ese telón, quizá cuando estás en la mejor de tus escenas. Ese es el momento donde deben venir esos cambios, y no siempre es fácil entender por qué pasa eso, si lo que estás viviendo es fabuloso.

Nuestra vida siempre tendrá cambios, y por eso entraremos en un proceso que al paso se convertirá en un venerable desastre que no quisiéramos que nadie vea. Llegado ese momento tendremos que ir detrás del telón, donde nadie nos ve, donde el dolor es solitario, donde las cosas más crudas suceden, donde el maquillaje no basta para cubrir las ojeras provocadas por no dormir debido a las preocupaciones; ahí donde sí puedes gritar de desesperación o patear de rabia, donde puedes decir todas las cosas que afuera no puedes decir (sé que algunos saben de lo que hablo).

Hay momentos donde hay que desaparecer de escena para regresar a los finos retoques, a los cambios de vestuario y a retomar guiones nuevos. Hay transiciones en medio de la vida cuando tenemos que regresar detrás de ese telón, ahí donde nadie nos ve.

TAMBIÉN EL “TELÓN” SE USA PARA DAR POR TERMINADA LA OBRA PUESTA EN ESCENA

Hay cosas que tienen que llegar a su fin.

Nada es para siempre. Las cosas buenas también terminan. Hay experiencias lindas que también tienen fecha de caducidad.

El aferrarnos a que las cosas deben ser para siempre nos llevará a vivir en la ficción más costosa y dolorosa.

APRENDAMOS A VIVIR DISFRUTANDO COMO SI LAS COSAS NUNCA FUERAN A TERMINAR; PERO PENSANDO MADURAMENTE QUE ALGÚN DÍA TERMINARÁN.

Creo que debe haber un entrenamiento intensivo para aprender a aceptar que una gran puesta en escena llegará a su fin, una de las razones del tan mencionado telón.

EL TELÓN SE MANTIENE CERRADO ANTES DEL COMIENZO DE LA PRESENTACIÓN DE LA OBRA

Necesitamos saber que muchas veces tu gran debut puede tardar más de la cuenta, y eso no te debe llevar a renunciar a la vida.

Habrá momentos donde verás a otros entrar a escena, los verás realizarse, lograr cosas, y tú solo observarás pensando que para ti nunca llegará ese gran momento.

¿Por cuánto tiempo ese telón estará cerrado para ti? ¡No lo sé!, puede ser muy poco, en una de esas serás parte de historias épicas donde se debuta a temprana edad. O puede ser que pase mucho tiempo, en una de esas historias en las que parece que nada va a ocurrir contigo y de pronto, todo sucede.

Pero de que ese telón se abrirá en algún momento, ¡no me queda la menor duda!

Cada vez que veo a alguien triunfar de menor edad que yo, solo pienso: *"¿Por qué* él sí y yo no?". Y pareciera como que la misma vida me da una respuesta: ***"el guion fue escrito para él, y es distinto al** tuyo"*. Así que tranquilo, que tu telón se abrirá en algún momento.

Me ha tocado leer notas de grandes obras de teatro que tardaron años para que el telón se abriera por primera vez. Pero una vez que se abrió, se descubre que valió la pena la espera. Deja de estar frustrado porque los telones de otros se abrieron y el tuyo sigue cerrado. Solo espera. Por favor, espera, porque hay muchos aguardando tu gran actuación.

EL TELÓN TAMBIÉN SE USA EN INTERMEDIOS Y ENTREACTOS

A veces hay que desaparecer de escena, hay tiempos de descanso. Considera ese famoso intermedio que obliga a los actores a regresar detrás del telón, o ese momento entre un acto y otro donde el telón cae para recrear diferentes ambientes para el siguiente acto. Se parece tanto a nuestra vida, ¿a poco no? Cuando comprendemos que nuestra historia no es lineal, sino que tiene sus entreactos que nos obligan a ir a ese lugar donde comenzamos, donde dejamos la adrenalina, donde dejamos el guion que tanto trabajamos para memorizar, donde dejamos los nervios que nos recuerdan que somos humanos, donde escondimos nuestros errores, donde dejamos nuestra oración para que todo salga bien; ahí hay que regresar, de cuando en cuando, detrás del telón.

Ese intermedio me pone a pensar en aquellos que vamos –o estamos– a la mitad de nuestra vida, en los que tenemos que reinventarnos, en los que debemos renunciar a complejos del pasado, a rencores del ayer, y cambiar urgentemente de escenografía y de vestuario para dar un paso de madurez y comenzar a pensar en las cosas que valen la pena, deshaciéndonos de las cosas superficiales; en aquellos que tenemos que ver nuestros errores del pasado como un ensayo de lo que no debemos hacer en el segundo acto de nuestra vida. Si tú eres de los nuestros, estas en el intermedio, en la antesala del segundo acto.

ES ALGUIEN MÁS QUIEN RECORRE EL TELÓN, NO EL ACTOR

Nuestra dependencia por alguien más siempre será una realidad. Sin importar qué tan grande sea nuestro talento y nuestras habilidades, necesitamos reconocer que solos no podemos. Nuestra gran puesta en escena depende siempre de alguien más, así que debemos renunciar a la arrogancia y a la mentalidad de que no necesitamos a nadie.

Tú y yo somos seres diseñados para convivir, relacionarnos, asociarnos, y al final de todo depender de alguien más: en el amor, en los negocios, en los deportes, en las artes, en todo; siempre necesitaremos de alguien que recorra el telón para que nosotros podamos salir a escena y brillar.

Me gusta tanto esta analogía del teatro y la vida, son tan afines. Ambas recurren a los mismos elementos.

PREPARACIÓN

No importa qué queramos ser en la vida, pero necesitamos prepararnos, adquirir conocimiento, buscar un mentor, inspirarnos en alguien y después dejarnos enseñar por él. Necesitamos tener la mentalidad de que nunca dejaremos de aprender. Necesitamos tener la humildad de estar bajo la enseñanza de un maestro y la valentía para estar bajo un duro entrenador.

DISCIPLINA

Entender que el talento no lo es todo, la disciplina es indispensable para que ese talento trascienda y nos lleve muy lejos.

Lo que el talento te dé, la falta de disciplina te lo puede quitar de inmediato.

APLAUSOS

Todos en algún momento necesitamos ser animados, necesitamos que se reconozca nuestro trabajo cuando lo hacemos bien, que nos dejen saber que hay un fruto presente después de tanto esfuerzo. Un amigo me dijo un día que no podemos estar en un lugar dándolo todo si no somos aplaudidos.

Los aplausos no se piden, los aplausos llegan solos cuando tú trabajas con honestidad y dedicación.

ABUCHEOS

Sí, también los abucheos son necesarios y existen en el teatro y en la vida. Hay momentos donde alguien nos tiene que dejar saber que las cosas no las estamos haciendo bien. Necesitamos descubrir de algún modo que no estamos teniendo la mejor actuación en el escenario de la vida.

Los abucheos vendrán, nos aturdirán por algún tiempo, pero después esos mismos abucheos nos darán las fuerzas para regresar al escenario por una sana revancha. Una manera de saber si hemos madurado es cuando aceptamos los abucheos sin que nos afecten, sino que lejos de eso nos impulsan. A veces esos abucheos serán injustos y en otras ocasiones serán merecidos, por lo cual tendríamos que dejar de ser tan aprensivos y tomar la vida con más ligereza. La vida es tan corta que deberíamos de disfrutarla al máximo en cualquier circunstancia. Charles Chaplin dijo lo siguiente: *"La vida es una obra de teatro que no permite ensayos... por eso, canta, ríe, baila, llora y vive intensamente cada momento de tu vida, antes de que el telón baje y la obra termine sin aplausos"*.

HAY ENSAYOS

En el teatro hay ensayos de muchos meses de anticipación antes del gran estreno, donde hay errores, cansancio, muchos intentos, frustraciones, olvidos del guion, y en muchos de los casos, pasa por la mente dejarlo todo porque se piensa que no se sirve para esto. Pero date permiso de cometer errores, de fallar, de intentarlo aun sabiendo que no acertarás. Haz las cosas con la mentalidad de un ensayo para que, si las cosas no salen bien, no seas severo contigo mismo y pienses en renunciar. No te sientas como un fracasado, porque después pasa la cruda de esa falla, es algo que no te durará para siempre.

La etapa de ensayos te da esa oportunidad de fallar y levantarte, de errar y volverlo a intentar, de olvidar el guion y regresar a él para volverlo a leer. Recuerda que aún el telón no se ha levantado.

Los ensayos con el teatro vacío son para ir conociendo el terreno en el que estaremos, imaginarlo, hacerle saber que lo dominaremos; para escuchar dentro de nuestra imaginación esos aplausos. Por eso, cuando estés en el ensayo de la vida, no te pongas triste por estar con teatro vacío, ahora ya sabes para qué es. Cuántos no estuvimos frente a un espejo y con la música de nuestro cantante favorito imaginando un gran público, con el control remoto de la tele como si fuera el micrófono. Y comenzábamos a cantar por horas sin misericordia ni piedad con los vecinos, dando un concierto completo. ¿Algún día cantaste en la regadera con la música en volumen alto y con el eco del baño sentías que tu voz era espectacular?

¡Sé que ahora mismo te estás riendo!

Todos los hombres soñamos con tres cosas de niños:

1. Ser luchadores;
2. Ser cantantes o músicos y subir al escenario;
3. Ser futbolistas (bueno, la mayoría).

LA VIDA DETRÁS DEL TELÓN

Todos hicimos alguna vez a modo de ensayo cosas frente al espejo, y me da risa porque gracias a esos *ensayos* a solas descubrimos que algunas cosas no son para nosotros o, todo lo contrario, que sería lo que haríamos el resto de nuestra vida.

IMPROVISACIÓN

El haberte preparado arduamente, el ser estudioso, el haber sido disciplinado en todas las cosas, y el haberte memorizado el guion como debería de ser no significa que no puedes improvisar. Damas y caballeros, afirmo que ¡amo la improvisación! Aunque esto me ha dado la imagen de ser una persona no preparada y nada intelectual. ¿Pero qué creen? No me importa. Nunca cambiaría mi libertad de improvisar por nada.

Perdón por la sinceridad para algunos innecesaria.

LA VIDA ES TAN GENEROSA QUE SIEMPRE TE REGALARÁ LA OPORTUNIDAD DE IMPROVISAR.

La vida de pronto se pondrá tan caprichosa que te obligará a improvisar. La vida es tan bella que te aceptará que improvises aun sin la necesidad de hacerlo. Debemos despertar la capacidad de improvisar, ya que en el camino muchas de las veces las cosas se saldrán del guion, de lo planeado, de lo que un día imaginaste con tanta exactitud que sucederían.

Nadie se casa planeando divorciarse un día, pero sucede, y tienes que improvisar en ese momento tan difícil de la vida y salir adelante, no quedarte ahí en medio del fracaso y la depresión. Nadie tenemos en nuestro guion enfermarnos, pero ocurre, y ahí tenemos que improvisar qué hacer y usar nuestra creatividad y no quedarnos justo ahí, en la zona de la enfermedad. Nadie comienza un proyecto pensando que todo saldrá mal, pero ocurre, y créeme que ahí tienes que improvisar como todo un profesional.

Hay momentos donde algo pasará que te sacará de lo planeado. Pero lo repetiré –y sé que ya has escuchado esto–: *the show must go on*, así debe ser, *el show debe continuar*.

De la improvisación saldrán tantas respuestas y soluciones que de otra manera no hubieras encontrado. Deja de ser ese metódico que si las cosas no salen como planeaste, te quedas estático y sin probabilidades de resolver las cosas. Es bueno ser metódicos; pero habrá momentos en la vida donde tendremos que dejar esos procedimientos que responden a una lógica previa, para abordar la situación con una improvisación fina, respaldada por la parte derecha del cerebro que es la creativa, entendiendo que la parte izquierda es la lógica, pero que a veces le tenemos que dar espacio al lado derecho del cerebro para actuar, aunque nuestra personalidad sea ser lógicos.

No siempre lo lógico te salvará la vida, muchas de las veces improvisar será el mejor rescate.

No podemos dar por terminada la puesta en escena solo porque algo no salió bien y no quisimos –o supimos– improvisar. Yo he estado en obras de teatro que me gustan tanto que las veo varias veces, en algunas ocasiones hasta diez, y memorizo el guion del personaje que más me gustó. Pero cuando en medio de la temporada cambian de actor, puedo detectar cuando a ese nuevo actor se le olvidó el guion, pero su capacidad y libertad de improvisar le salva la noche y nadie se da cuenta de lo sucedido, excepto yo (jejeje), que ya había visto la obra diez veces.

Cuántas veces la improvisación me ha salvado la noche, la puesta en escena completa, aun la vida por más dramático que suene.

SALIR A ESCENA, AUNQUE EL TEATRO ESTÉ SOLO

Muchas de las veces tendremos que salir a escena, aunque el teatro de la vida esté solo. Es decir, muchas veces nos tocará actuar sin importar lo solitarios que estemos. Será sin aplausos, sin bullicio, sin palabras de ánimo, sin gente impulsándonos, sin personas que nos inspiren, sin aquellos que nos provean de lo necesario.

Hace mucho tiempo aprendí a actuar sin aplausos, estoy consciente que solo tengo que ser profesional y dar mi mejor actuación hasta el final.

Tendrás que salir a escena, aunque no haya nadie.

Recientemente leí en alguna ocasión una nota que no podía creer: *"El actor Giovanni Mongiano actúa ante teatro vacío"*. Sí, así como lo oyes, bueno, así como lo lees, ¡ante un teatro vacío! Este prolífico actor llegó al Teatro del Popolo, en Gallarate, en una pequeña ciudad a 40 kilómetros al noroeste de Milán, Italia, y se encontró con una increíble sorpresa: nadie decidió ir a verlo.

A veces parecería que las personas se ponen de acuerdo para dejarte solo, para abandonarte, o simplemente para ser indiferentes a ti. Este actor estaba detrás del telón, cuando se le acercó la encargada de la taquilla y le dijo que ni una sola entrada se había vendido esa tarde.

¡Qué tragedia!

Giovanni Mongiano dijo lo siguiente en una entrevista ante lo sucedido: "No me puse triste, pero la noticia me sorprendió. No quise darme tiempo para pensar, solo decidí salir a escena, aunque el teatro estaba vacío".

"NO QUISE DARME EL TIEMPO PARA PENSAR..."

Retomando lo que dijo este valiente actor, te quiero decir que hay momentos en la vida donde no nos podemos dar el lujo de pensar las cosas, porque si lo hacemos vendrá ese desanimo que te dirá: no lo hagas. Te daré un consejo muy sanguíneo (en términos de temperamento): hay momentos donde solo tienes que actuar sin pensar absolutamente nada. He tomado decisiones así y que han sido cruciales en mi vida, de esas que le dan rumbo a nuestra historia, de esas que nos hacen prosperar, de las que dices: "¡Qué bueno que lo hice"! Pero cuando la gente me pregunta: "¿Cuánto tiempo tomaste para pensar esa decisión?", yo solo pienso: ***"Cómo le digo que no lo pensé, que solo lo hice"***.

Hay muchas cosas en la vida que no te piden que lo pienses, solo te piden que lo hagas.

¡Hay cosas que no necesitas entenderlas para hacerlas!

Durante más de una hora, aquel actor habló mientras actuaba y se movía de un lado al otro sobre el escenario, hasta que llegó el final de su puesta en escena sin recibir un solo aplauso desde las butacas. Su pasión, su profesionalismo y su entrega lo llevaron a salir a escena, aunque no había nadie que lo ovacionara. Las ovaciones vinieron después para este hombre con más de cuarenta años de carrera actoral.

El reconocimiento y la exaltación para este actor de teatro vinieron días después, cuando a través de las redes sociales recibió todo tipo de comentarios positivos haciendo alarde de su valentía y profesionalismo.

Es como una ley de la vida en cualquier cosa que emprendas, comenzarás con el teatro vacío, pero tiempo después, cuando menos pienses, alguien estará hablando de ti positivamente, alguien querrá conocerte, alguien reconocerá tu gallardía y tu perseverancia.

Ahora este actor está recibiendo invitaciones de todas partes para presentar su monólogo, una pieza escrita por él mismo en el 2013 que, irónicamente, aborda la pasión por el teatro.

¿Te das cuenta? No siempre actuar por esta vida sin público es tan malo, todo es cuestión de esperar el tiempo necesario para poder ver el fruto de lo que se ha sembrado con lágrimas y soledad. Deja de andar por la vida tratando de ser la víctima y sal a dar tu mejor actuación en la gran puesta en escena que es tu vida.

Me ha tocado dar una conferencia para veinte mil personas en un estadio de fútbol, como también ante veinte personas en uno de esos bellos lugares que ni siquiera están en el mapa, y ¿sabes algo?, lo he hecho con la misma pasión e intensidad.

EL CAMERINO

Un camerino (también llamado camarín) es una habitación o espacio privado en un teatro o sala de espectáculos que se proporciona a los actores para vestirse, maquillarse, concentrarse, tener todo en orden y esa intimidad tan necesaria antes de salir al escenario, y también para algo muy interesante, hacer esa oración antes de salir. Creo que todos en la vida necesitamos ese camerino. Tener ese lugar privado donde nada nos desconcentre ante las tantas tentaciones que hay para distraernos, donde corremos el peligro de cambiar las cosas más valiosas por aquellas pasajeras y que nos pueden hacer tanto daño.

Necesitamos ese camerino donde nadie nos moleste, ese momento sin redes sociales, sin teléfono, sin internet, sin visitas, para podernos concentrar en las cosas que son eternas, valiosas, profundas, duraderas. Son esas cosas por las que venimos a esta poética vida, simplemente las cosas que nos hacen felices pero que necesitan de toda nuestra concentración y cuidado.

Necesitamos ese lugar privado para poner en orden nuestros pensamientos, nuestras emociones y nuestros impulsos.

Hay cosas que no son tan difíciles de solucionar, de ordenar, y solo necesitas ese camerino para estar a solas y tomar un papel y un lápiz y comenzar a ordenarlo todo a través de esa lista de prioridades.

Necesitamos ese camerino de intimidad espiritual, de conexión divina, ese momento donde solo son tú y Dios, donde ninguna religión o fanático tratan de convencerte de su ideología legalista y rigurosa, solo son tú y el Creador platicando, tú hablándole de tus temores, de tus sueños, de tu necesidad de que te ayude y de que esté contigo en esa gran puesta en escena que estás por vivir en los siguientes minutos al dejar ese camerino tan necesario y salir a actuar delante de un público difícil. Es ese el momento donde sientes que Dios te abraza y te dice: *"Estoy contigo, sal a brillar"*.

Esa parte del teatro llamada camerinos es una zona no accesible o restringida al público.

Ahora prepárate para leer algo muy fuerte.

¿Estás listo?

Aquí voy.

FALCONSEJO

HAY PERSONAS QUE ESTÁN EN TU CAMINO PERO QUE NO PUEDEN SER PARTE DE TU VIDA, QUE DEBES TENERLAS RESTRINGIDAS, QUE DEBES PROHIBIRLES EL ACCESO A TU CAMERINO.

Esas personas negativas y mal intencionadas, esas personas que solo provocan en ti desánimo, esas personas que roban tu fe, esas personas que nunca tienen nada bueno que decirte. Hay momentos donde algunas personas no tienen que acceder a tu camerino. Deja de desgastarte emocionalmente por querer que todos entren o por sentirte culpable por no haberlos invitado.

LA VIDA PERFECTA

LA VIDA PERFECTA NO EXISTE.

LA VIDA SIN DIFICULTADES NO EXISTE.

LA VIDA SIN ENFERMARNOS NO EXISTE.

LA VIDA SIN DESAFÍOS NO EXISTE.

LA VIDA SIN ADVERSIDADES NO EXISTE.

LA VIDA PERFECTA OCURRE SOLO EN LA CIENCIA FICCIÓN. LA VIDA REAL ES MÁS EMOCIONANTE, AUN CON SUS MATICES GRISES VALE LA PENA VIVIRLA Y DISFRUTARLA.

Una puesta en escena sin un detrás del telón no existe. Una puesta en escena sin las dificultades, sin los contratiempos y sin las crisis detrás del telón, no existe, no sería real.

La gente con la obsesión de la vida perfecta necesita romper esa burbuja y comenzar a caminar en la realidad. Alguien dijo alguna vez: "En el camino aprendí que llegar alto no es crecer, que mirar no siempre es ver, ni que escuchar es oír, ni lamentarse sentir, ni acostumbrarse, querer. En el camino aprendí que estar solo no es soledad, que cobardía no es paz, ni ser feliz sonreír, y que peor que mentir es silenciar la verdad".

Las cosas muchas de las veces no son lo que parecen. Una gran actuación en el escenario no es precisamente un detrás del telón perfecto.

Este recorrido profundo que estamos haciendo detrás del telón de la vida será para que te des cuenta que muchas de las cosas que estás viviendo son normales y que no eres el único que pasa por ellas. Será un poco crudo el recorrido que apenas empieza, pero no te preocupes, terminaremos juntos sobre el escenario, listos para dar la mejor actuación después de mucho tiempo.

CAPÍTULO 2

LAS ESCALAS DE LA VIDA

fotografía: Randy Jacob

Nada
de malo
tiene
perder
de vez en
cuando.

Sentir esa adrenalina que te dice que ya debes estar en el escenario.

Escuchar la voz de la desesperación que te reta a no esperar más.

No poder contener las ganas de estar dando de una vez por todas esa magistral actuación.

Pero mientras no se escuche la esperada *voz off* que dice: "Tercera llamada, ¡comenzamos!", lo único que queda es esperar y hacer una escala detrás del telón, en ese camerino que será el cómplice de tu espera.

LA VIDA ES UN VIAJE CON DISTINTAS ESCALAS

Cuando viajo a lugares muy lejanos, por lo regular hago escalas y tengo que confesar que algunas son muy agradables, otras no tanto, pero al final, de todos modos, las tengo que hacer. No es una decisión que yo pueda tomar, es parte del viaje y no tengo opción.

La vida tiene también esa modalidad, siempre tendrá escalas donde debemos parar, lo queramos o no, sin importar el destino al que vayamos o el gran momento que estemos pasando. Hay que hacer un alto para hacer esa indeseable escala técnica, aunque nos haga sentir que perdemos el tiempo. Si por nosotros fuera seguiríamos de continuo, pero la mayoría de las veces no es posible. Sentimos que es inútil hacer esa escala, que solo nos hace retrasar inútilmente nuestro plan de vuelo y que lo mejor sería seguir directamente a nuestro destino final.

Estamos tan hambrientos de éxito y de los buenos comentarios sobre nosotros que nos aterroriza parar y que después nada suceda. Pero la vida es tan intensa que en ciertos momentos necesita de una invisible pausa.

Hace años atrás, las escalas que tenía que hacer me robaban la paz, me ponían de mal humor y me provocaban el deseo de ya no viajar. Por mi temperamento, no soy una persona que me gusten las pausas, ni detenerme, y mucho menos tener que esperar. Vivía experiencias raras como estar en espera de mi próximo vuelo y tener sentado al lado al clásico quejoso diciendo: "Estos aviones ya no los hacen como antes", y yo preguntándome: "¿Pues como los hacían antes?". Y el quejoso hablando, diciendo que los asientos son muy chicos y que no piensan en las personas altas y corpulentas, que llegó con las rodillas entumidas; y después de quejoso pasa a dramático exclamando: "¡Pero hay un Dios que todo lo ve!", hasta que llega un momento en que comienzo a escucharlo lejos, muy lejos, lo que significa que ya lo ignoré. O te encuentras también en una de esas escalas la clásica persona pesimista dentro del cuerpo de una señora con la voz más rara, diciéndote: "¿Ya vio, joven, como está el cielo negro?, de seguro viene una tormenta y es casi seguro que el avión en el que vamos a ir 'usté' –así, tal cual– y yo se caiga, téngalo por seguro joven, pues 'nomás' –¡así hablan algunas personas! – vea qué terrible está la tormenta". Dan ganas de decirle: "¡Cállese, señora, y deje de ponerme más nervioso de lo que estoy!".

También nunca falta el positivo exagerado, que te dice: "Hoy es tu día y no te queda otra opción que ganar". ¡¿Qué?! ¡Si supieras que hoy es uno de esos días que no quiero ganar, solo vivir! Y todavía dice: "Sonríe, ¡vamos, sonríe!". ¡Hombre, por favor!, son las cinco de la mañana y solo dormí dos horas por la rara escala que hice en este viaje. Si me da un par de horas más puede que le sonría.

Pero el colmo de todo es estar

en una escala esperando tu avión, y que la persona de enseguida comience a platicar contigo en un idioma que no es el tuyo; esa persona casi llora abriendo su corazón contigo, ¡pero tú no lo entiendes! Y a ti no te queda otra cosa que usar el "discernimiento" para saber si asentir con la cabeza o moverla diciendo no en la "conversación".

¡Dios mío!

Esto me ha ocurrido en las escalas de mis viajes, pero también ocurre en las escalas de la vida.

NO SIEMPRE LA VIDA TIENE QUE SER IGUAL

Tener un viaje directo a nuestro destino sería entonces resignarnos a que la vida tendría que ser siempre igual. Pero tiene diferentes disfraces. Por ejemplo, también le gusta divertirse, hacernos bromas y de pronto jugar con nosotros, sin maldad, solo con un poco de picardía.

No le pidamos a la vida que sea igual siempre porque no podrá, no está en su esencia, ella es versátil, creativa e inquieta, y es por eso que cuando nuestro viaje es demasiado monótono, algo hace para que salgamos de esa rutina. Sí, efectivamente, nos hace realizar una escala para que paremos por un periodo de tiempo.

La vida no puede ser un viaje directo, la vida te hará tomar escalas forzosas para enseñarte las cosas que en "la rutina de la vida" no aprenderás.

Hace muchos años un anciano me dijo: "Si quieres aprender, tienes que parar".

ASÍ COMO EN LOS VIAJES LAS ESCALAS SON NECESARIAS Y ÚTILES, LO MISMO OCURRE EN ESTA EXTRAVAGANTE AVENTURA LLAMADA VIDA.

En esas escalas de la vida te encontrarás con personas que quizá no sean muy agradables para ti, con el quejoso que siempre saturará tu mente de las amarguras de su corazón, siendo lo que menos necesitas en esa escala de la vida. Te encontrarás con el pesimista, de quien lo único que escucharas es que la vida se te terminó y que te resignes porque nunca jamás levantarás el vuelo. Ah, se me olvidaba el positivo, el exagerado que te dirá que no te detengas, que sigas, que no pares, que parar es sinónimo de derrota; pero lo único que hace es frustrarte más y hacerte sentir derrotado.

En mi trabajo de motivador he aprendido a animar a la gente diciéndole: "¡Para!, es necesario".

Un día tome la decisión de comenzar a disfrutar (mira la palabra que estoy usando, ***disfrutar***), no tolerar, sino disfrutar las escalas de mis viajes. Ahora me gustan, las busco, entiendo que son necesarias. Sucede que pensé que tendría que sacarles provecho, y es ahí donde he escrito algún capítulo de un libro, o donde ha nacido alguna de mis conferencias, algunas de mis mejores publicaciones en redes sociales (que no son muchas) las he escrito en una de esas escalas, y hasta las palabras más bellas que le he escrito a mi esposa han sido ahí. Y cómo no decirlo, el mejor café que me he tomado ha sido en una de esas escalas.

Cada vez que me entregan de mi oficina mi itinerario y veo que tendré alguna escala, sonrío e imagino qué podré comer, pensar, escribir y ¡tuitear! (¡ups!, me proyecté). Sí, confieso que soy adicto a las redes sociales.

UNA ESCALA ES ALGO ASÍ COMO ESPERAR OBLIGATORIAMENTE

Ese es uno de los misterios de la vida, tener que esperar obligatoriamente sin saber cómo será el próximo avión que nos llevará a nuestro siguiente destino, aunque quizá en el anterior ya nos habíamos acostumbrado. Ese misterio de quiénes serán nuestros nuevos compañeros de viaje, pues con los anteriores ya nos habíamos encariñado y ahora a comenzar de nuevo. Qué frase tan difícil, *comenzar de nuevo*.

Siempre fui muy aprensivo con las personas hasta que aprendí que cada viaje en las diferentes etapas de la vida requiere diferentes compañeros. Usaba mucho una frase con quienes estaban a mi lado: *"Hasta viejitos"*; de cierto modo era como obligarlos a estar conmigo toda la vida. Hasta que terminé de entender que llegar ***hasta viejitos*** con ciertas personas no es una decisión mía, sino del destino, de las circunstancias y, por sobre todo lo dicho, una decisión de Dios.

Eso de ***hasta viejitos*** con las personas debe ser algo orgánico y no planeado.

Imagínate que yo no me quiera subir al avión que me llevará a mi nuevo destino solo porque no irán conmigo las personas que estuvieron acompañándome en el vuelo anterior. ¡El sentimentalismo en muchos casos ha causado estragos en nuestras vidas!

En las escalas de la vida se irán personas de ti y llegarán otras. Esto me pone a pensar que ni las cosas, ni los lugares, ni las personas son para siempre cuando tu plan de viaje cuenta con algunas escalas.

Aprendamos esto y nuestro viaje será más ligero, sobre todo sentimental y emocionalmente.

¡Ahora también me gustan las escalas de mi vida y no solo las de mis viajes!

LA VIDA TIENE RITMO Y NO SIEMPRE SERÁ EL MISMO

Qué importante es entender que la vida tiene diferentes ritmos que tendremos que bailar, nos guste o no. Muchos tendrán que bailar con el ritmo de un divorcio, otros con el ritmo de la pérdida total de un negocio, otros con el ritmo de una enfermedad, y esto no significa resignación ante el fracaso, sino que así lo decidimos. Podemos pasar estas escalas, los diferentes ritmos de la vida, con ***estilo***. Si la vida tiene ritmo, pues nos la pasaremos bailando, aunque no sean nuestros ritmos favoritos. Debo confesar que una de mis bandas favoritas en los tiempos de mi juventud fue ***Maná***, y me gustaba mucho bailar sus canciones, así que cuando iba a un baile yo solo esperaba que tocaran su música para bailar sin descansar. El momento triste para mí era cuando terminaban y pasábamos a otro ritmo, entonces lo que yo hacía era irme a sentar. En ocasiones iba a pedirle al DJ que las pusiera otra vez. ¡Qué oso el mío! Solo de acordarme me dan ganas de irme a tirar de un puente.

Hasta que un día un amigo de la preparatoria al que le apodábamos "el pompín" (que por cierto era un gran bailarín), me dijo: "Guapo" –así me decían a mí en la preparatoria; bueno, está bien, también "flaco"–, "tienes que aprender a disfrutar los diferentes ritmos de baile para que tu noche sea súper divertida". Efectivamente, lo mismo es con la vida: debemos aprender a bailar los diferentes ritmos que ella tiene para que nuestra vida entera sea divertida. Cuánta razón tenía "el pompín" sobre disfrutar, conocer y aceptar esos diferentes ritmos de música.

Ahora bailo cumbias, baladas, *break dance*, merengue, chachachá y hasta polca y tango (¿piensas que exagero?).

Tenemos que convencernos que la vida tiene ritmo, y que no siempre será el mismo, no siempre será el que más nos gusta, no siempre será el que más dominamos ni el más popular. Me atrevo a decir que la vida sería aburrida si solo tuviera un solo ritmo y nunca cambiara. Creo que la belleza de la vida implica que es impredecible, aunque a veces nos tome por sorpresa ese cambio de ritmo. Las fiestas serían muy aburridas si solo hubiera un solo ritmo de música, de verdad te lo digo, serían muy aburridas. ¡Ahora lo entiendo, gracias a mi amigo "el pompín"!

Lily y yo disfrutamos tanto los diferentes ritmos cuando vamos a una fiesta, las bailamos todas, nos divertimos, nos cantamos las canciones cara a cara, nos reímos cuando algún ritmo lo bailamos mal, pero intentamos aprenderlo; la noche se resuelve cuando llega ese ritmo romántico y terminamos abrazados, créanme es lo mejor. No regresamos a casa diciendo: "¡*Wow*, qué bien bailamos!", sino: "¡*Wow*, qué felices fuimos esta noche bailando juntos!

FALCONSEJO

APRENDE A BAILAR LOS DIFERENTES RITMOS DE LA VIDA, NO TE QUEDES SENTADO, Y AUNQUE ALGUNOS NO LOS DOMINES, ¡INTÉNTALO!; RÍETE DE LO QUE TE SALE MAL, DISFRUTA AL MÁXIMO EL RITMO QUE DOMINAS, ATRÉVETE, ADÉNTRATE EN OTROS QUE NUNCA IMAGINASTE QUE UN DÍA BAILARÍAS. TEN POR SEGURO QUE CUANDO MENOS LO ESPERES LLEGARÁ ESE MOMENTO EN LA VIDA DONDE ESTARÁS BAILANDO ROMÁNTICAMENTE Y LO PODRÁS DISFRUTAR TANTO QUE LO VIVIRÁS COMO SI FUERA UN SUEÑO.

Reflexionemos en lo cansada que sería la vida si en este viaje no hubiera ninguna pausa. Por eso decidí titular este capítulo "Las escalas de la vida", porque ahora puedo decirte lo necesario que es parar, esperar, reflexionar, redefinir el camino o simplemente descubrir y reconocer que vamos en la dirección equivocada. Ahora puedo decirte a mis 40 años que hay mucho por aprender cuando se trata de bailar.

¡Siempre he dicho que mi vida es un musical!

Qué liberador sería poder decir ***"este no es el mejor ritmo"***, tal vez no es la mejor escala que me ha tocado esperar, pero la voy a disfrutar porque a final de cuentas será solo por un tiempo.

Créeme que hacer escalas en la vida te dará la oportunidad de redireccionar tu rumbo.

ENTENDER LOS DIFERENTES RITMOS DE LA VIDA TRAE EQUILIBRIO

¡A veces lloraremos, a veces reiremos! Ninguna de las dos se puede mantener en una línea recta constante. Un hombre sabio dijo lo siguiente en un compendio de proverbios refiriéndose a los diferentes ritmos y escalas de la vida y cómo están conectados a modo de cronología, dándole su momento a cada cosa:

Todo tiene su momento oportuno; hay un tiempo para todo lo que se hace bajo el cielo:

un tiempo para nacer,

y un tiempo para morir;

un tiempo para plantar,

y un tiempo para cosechar;

un tiempo para destruir,

y un tiempo para construir;

un tiempo para llorar,

y un tiempo para reír;

un tiempo para estar de luto,

y un tiempo para saltar de gusto;

un tiempo para abrazarse,

y un tiempo para despedirse;

un tiempo para intentar,

y un tiempo para desistir;

un tiempo para guardar,

y un tiempo para desechar;

un tiempo para callar,

y un tiempo para hablar;

un tiempo para amar,

y un tiempo para odiar;

un tiempo para la guerra,

y un tiempo para la paz.

Todas estas palabras representan las distintas *escalas* por las que hay que pasar en el baile de la vida. Encontramos palabras que se contradicen, sin embargo, traen el equilibrio perfecto, aunque no lo notemos a primera vista.

LA VIDA ES UN VIAJE QUE DEJAMOS DE DISFRUTAR POR SIEMPRE ESTAR AFANADOS EN EL DESTINO FINAL.

El destino final no siempre lo es todo. Esto me recuerda la siguiente anécdota de uno de los mejores futbolistas de la historia, Cristiano Ronaldo, con uno de los mejores entrenadores de todos los tiempos, Sir Alex Ferguson:

El actual capitán de la Selección de Portugal y máximo goleador del Real Madrid recuerda que cuando su padre la estaba pasando realmente mal, le pidió a Sir Alex que le dejara ir a verlo, pensando en que le diría que no porque el Manchester United estaba en un momento crucial en la temporada. Pero el estratega británico sí se lo permitió y le dijo unas palabras que nunca olvidará: "Todos lo aman (a Sir Alex). Te invitaba a comer o a beber una taza de té, una taza de té inglés. Era una familia. Manchester United era una familia. Cuando mi papá estaba muy enfermo, en Londres, estaba en coma... tuve una conversación con él, le dije: 'Jefe, no me siento bien, sé que estamos en un momento clave en la Premier y la Champions League, pero realmente quiero ver a mi papá'. Él me respondió: 'Cristiano, si quieres un día, dos días o una semana, puedes irte. Te extrañaré. Te extrañaré porque eres importante aquí, pero tu papi es primero'. Cuando me dijo eso yo pensé 'este sujeto es increíble'. (Sir Alex) Fue un padre del fútbol para mí".

Pienso que no todos hubiéramos reaccionado como Sir Alex Ferguson, muchas veces estamos más enfocados en la meta que nos olvidamos que hay circunstancias mayores que nuestras propias metas.

Nuestro grave problema es estar siempre enfocados en ese destino final, olvidándonos de las tantas y tantas maravillosas cosas que podemos encontrarnos en nuestro caminar por la vida. Vale más que disfrutes el camino, porque muchas de las veces no llegarás a tu destino. Suena cruel, pero es la realidad.

Quise ser futbolista y no lo fui. Pasé todos los procesos, estuve en una escuela de fútbol de los 9 a los 11 años de edad, estuve en fuerzas básicas de un equipo profesional, pues un equipo de primera división había ido a mi ciudad para buscar talentos y yo quedé de entre cientos de jóvenes. Todo parecía que ese sería mi futuro. Fue bueno el camino, pero no llegué. Mi rodilla, Dios, la fatalidad, no sé quién, pero no me dejó llegar hasta el destino tan anhelado en mi corazón.

Lo bueno de todo esto es que ahora puedo decirte que disfruté el camino en demasía; hoy puedo tomar el álbum de los recuerdos y sonreír, sobre todo al ver mis piernas flacas.

Muchas de las veces lo más increíble de haber soñado con el destino fue haber disfrutado el camino, regocijarte en cada momento en el que tuviste que parar y tomar ese descanso, esa pausa, ese momento de estar en un bello lugar, aunque ese lugar no era el destino que habías planeado.

No cerremos los ojos mientras vamos en el camino, puede que nos perdamos de los mejores paisajes y de las más emocionantes experiencias.

Muchas de las veces, misteriosamente, es mejor disfrutar el camino más que llegar al destino. Conozco personas que cuando llegan a su destino se amargan, se deprimen, y otros simplemente mueren.

SIEMPRE ESTÁ EL AFÁN DE QUERER LLEGAR A UN LADO, OLVIDÁNDONOS DEL LUGAR EN DONDE ESTAMOS.

Tantas veces sucederá el caso donde el lugar en donde estamos será mejor que el lugar a donde vamos. Un día, yo iba rumbo a Alemania para ser parte de un foro muy importante de liderazgo. Fui invitado por un amigo muy querido llamado Richard Hays para dar mis conferencias. Iba con cierto nerviosismo, muy enfocado en el trabajo que tenía que hacer, solo pensaba en quién sería mi traductora del español al alemán (quien por cierto es genial, después de esa primera vez Judith tiene ya algunos años traduciéndome); yo pensaba en cómo iba a traducir mis chistes de las suegras, ¡imagínate eso!

¡Qué cosas me preocupaban! ¡Soy un loquillo!

Solo tenía mi mirada en la histórica Alemania, sin importarme la épica travesía que me esperaba mientras llegaba al Viejo Continente.

Rumbo a mi viaje hacia Alemania hice una escala de varias horas en Londres, que por cierto fueron suficientes como para salir, conocer, comer en un restaurante emblemático para un día poder decirles a mis nietos que yo estuve ahí. Tuve suficiente tiempo para salir y tomarme fotografías y comprar algunos recuerdos para llevarle a mi familia. Lo triste de esto es que no entré a ningún restaurante, no me tomé ninguna foto, no le compré su taza de colección a Lily (siempre le compro una en cada país que voy), y teniendo el tiempo no salí a caminar las horas que estaría en esa emblemática ciudad por solo estar pensando en mi destino y por tener el temor de que algo pasara y que impidiera mi llegada.

¡Después será Londres, Inglaterra!, me atreví a pensar.

Tener en la mente solo la meta es peligroso, porque podríamos desaparecer nuestro alrededor, desaparecer a la gente que amamos y desperdiciaríamos grandes momentos. Cuidémonos de esa presión social que nos dice que tenemos que tener una meta, que dice que todos los días tienes que ganar. Cuidado con esa mentalidad obsesiva.

HAGAMOS UN EJERCICIO SIMPLE: ¿QUÉ PASARÍA SI...?

Sí, ¿qué pasaría si un día nos levantamos sin un lugar definido a dónde llegar y sin ninguna meta que conquistar? Eso de que alguien te pregunta: "¿Cuál es tu meta el día de hoy?", y contestas: "*Ninguna*".

Te aseguro que habrá personas que te criticarán de mediocre y poco visionario, porque se les olvida que hay días que no tienes por qué tener una meta, solo tienes que vivir el día.

Hay días donde solo tienes que respirar, caminar, leer, deleitarte en algo o simplemente no levantarte de la cama. Esto no lo entendía hace años; hoy sé que es necesario. Estoy diciendo que hay días y no que así tiene que ser tu vida entera. Tener metas que no nos permiten disfrutar el camino no son dignas de tenerlas.

LAS METAS NO TE PUEDEN ROBAR LA VIDA MISMA.

Las metas son complementos de la vida, no son la vida. No perdamos las tantas cosas bellas de la vida por lograr una sola meta.

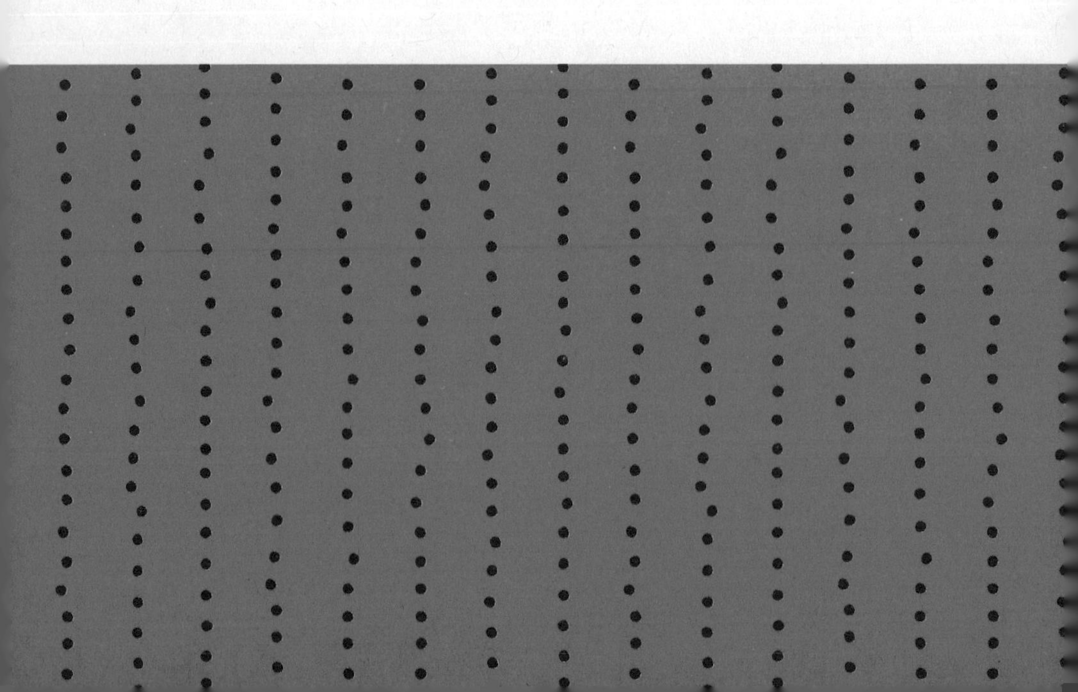

LAS ESCALAS SON NECESARIAS EN EL VIAJE DE LA VIDA, AUNQUE NO SEAN DESEADAS

Debemos aprender a estar ahí, pero sin sentirnos mediocres, sin sentirnos fracasados. Solo piensa en que llegó el tiempo de esperar, el tiempo de repasar el plan, el tiempo de descansar, el tiempo de renunciar a los afanes, el tiempo de dejar de hacer las cosas difíciles para regresar a las cosas simples.

NOS OLVIDAMOS DE CONTEMPLAR EL CAMINO POR ENFOCARNOS SOLO EN EL DESTINO

Y es ahí donde nuestra vida se convierte en queja. Cuando dejamos de contemplar las cosas bellas que tiene el camino, nuestra vida se convierte en algo monótono, y eso nos llevará a solo quejarnos. Todo nuestro alrededor nos va a incomodar, pues no es eso llamado "destino final".

LO MEJOR SERÍA TENER TATUADO EN LA MENTE QUE MIENTRAS LLEGAMOS A NUESTRO DESTINO NOS PODEMOS DELEITAR EN EL CAMINO.

Debemos *deleitarnos* en las cosas pequeñas mientras llegan las cosas grandes. Muchas de las veces las pequeñeces de la vida esconden grandes misterios que son hermosos y de gran valor.

Deleitarnos en las cosas que no cuestan dinero, mientras llega el dinero para tener eso que deseamos, aunque tengo que decir que el dinero no puede comprar muchas de las cosas más maravillosas que nuestros ojos puedan ver.

Mirar las estrellas no cuesta dinero, contemplar un atardecer no cuesta dinero, mirar a los ojos a las personas que tanto amas no cuesta dinero.

Escuchar el cantar de las aves no cuesta dinero.

Respirar no cuesta dinero.

Disfrutar a nuestros perros y abrazarlos tampoco cuesta nada.

Tengo un gusto por ir a montar a caballo al rancho de un amigo que quiero mucho, y lo raro de esto es que siempre tengo caballo para hacerlo y no es mío, pero hasta hablo con él y le digo: "No importa que digan los demás, solo recuerda que tú eres mío". (Aprovecho para darle gracias a Ruperto por prestármelo).

Lo gracioso de esto es que cuando subo una foto en las redes sociales montando el caballo de Ruperto, todos me escriben: "Qué lindo tu caballo Falcony".

Tengo muchas metas por conquistar, pero un solo camino por recorrer. He decidido deleitarme en él.

LOS MOMENTOS DIFÍCILES TAMBIÉN FORMAN PARTE DE ESAS ESCALAS DE LA VIDA

Quisiéramos que la vida siempre fuera positiva y sin complicaciones, pero también nos encontraremos con momentos difíciles que enfrentar y mucho que aprender de ellos.

EL VIAJE DE LA VIDA ES PARA DISFRUTARSE Y NO PARA AGUANTARSE

Dejemos de ir por la vida diciendo que no nos queda otra cosa que aguantarla. Aunque sea cruel, recuerda lo que me dijo La Vida cuando platiqué con ella: *"Yo no soy cruel"*.

Disfrutando o aguantando, la vida es una decisión personal.

Habrá un momento cuando menos lo esperes que mientras estas en esa escala obligatoria de tu vida, de pronto escucharás una voz que diga: "Señores pasajeros con destino a...", y entonces escucharás que es el tuyo, sí, tu destino, y esa voz dirá: "Gracias por esperar, favor de abordar el vuelo 777"; y después alguien dirá: "Abróchense el cinturón y pónganse cómodos que estamos por despegar". Entonces verás que valió la pena la espera y el haber disfrutado de esa escala que al principio no fue tan agradable.

¡Feliz viaje! Prepárate que tarde que temprano te encontrarás con otra escala más.

¡CAMINAR POR LA VIDA PARA DISFRUTAR Y NO SOLO PARA LLEGAR!

FALCONSEJO

LA VIDA ES UN VIAJE CON DISTINTAS ESCALAS, NO TE DESESPERES SI SIENTES QUE NO AVANZAS, NO SIEMPRE TIENES QUE HACERLO, QUIZÁ ESTÁS EN ESA ESCALA DONDE SOLO TIENES QUE ESPERAR, DESCANSAR Y PREPARARTE PARA QUE EN CUALQUIER MOMENTO PUEDAS CONTINUAR CON ESTE BELLO VIAJE LLAMADO VIDA.

¿Estás ahora mismo en unas de esas escalas? Si así es, no te frustres y disfrútala.

Espero que La Vida esté satisfecha con la manera en la que te estoy hablando de ella, recuerda que ella me pidió hacerlo.

CAPÍTULO 3

LA TRAICIÓN

El arte
de cerrar
capítulos
viejos para
poder
empezar
nuevas
historias.

"Traición", una de las palabras más antiguas pero que no pasa de moda, ni pasará.

Esto sigue sucediendo, seguimos siendo tentados a devolver deslealtad a las buenas acciones de las personas que nos aman, que confían en nosotros y que lo único que practican ellos es el bien.

Daríamos cualquier cosa por no pasar por ese largo, oscuro y doloroso pasillo de la traición, porque no solo duele en el momento, sino también deja una marca, de esas que jamás se olvidan.

La traición es una de esas vivencias que nadie quisiéramos tener, daríamos todo por no experimentarla, preferiríamos pasar por cualquier otra cosa negativa a sentir una traición.

Es cruel, cínica, insensible y feroz.

Carcome la paz, las emociones, los pensamientos.

Provoca insomnios largos llenos de momentos donde solo la cuestión es ¿por qué?, y aun despierto tienes pesadillas cargadas de escalofríos.

Todos en algún momento hemos sido traicionados; todos en algún momento hemos traicionado.

La traición es como un búmeran que anda en el aire y que en cualquier momento golpeará a alguien. Me golpeará a mí, te golpeará a ti, y aun golpeará a aquel que no lo merece.

Ahora mismo está por suceder en una oficina, o en una amistad, y también está por suceder en aquella zona donde parecería tan protegida por el amor y la lealtad.

La traición es como una lanza que puede atravesar hasta lo más profundo del alma, cortar los sentimientos más fuertes y hasta llegar a partir las convicciones más duras. Tiene la capacidad de cambiar el curso de los acontecimientos en tan solo un instante, robando la capacidad de creer en los demás y convirtiéndote en alguien que cree que todas las demás personas son iguales; eso extingue en nosotros el deseo de volver a comenzar una relación nueva con alguien.

Nos convierte en peregrinos solitarios tratando de huir de las personas de un lugar a otro. Nos lleva a vivir en la periferia, pues entre más lejos del bullicio, es mejor.

La traición la encontraremos en la política, en los deportes, en las relaciones sentimentales; entre mejores amigos, en lo laboral, y hasta en el fútbol, pues tengo amigos que le iban al Real Madrid junto conmigo y ahora le van al Barcelona. ¡Qué herejía, Dios los perdone!

Las heridas más profundas son las que provienen de una traición. Si lo has vivido, sabes que no exagero.

Después de una traición descubres qué tan profunda tienes el alma.

PERFIL DE UN TRAIDOR

La palabra *traidor* viene del latín *traditio*, que es falta que quebranta la lealtad o fidelidad que se debería guardar hacia alguien o algo. Los psicólogos dicen que el traidor es obligatoriamente vencido por sus fuerzas narcisistas y su necesidad del yo. Entendiendo como narcicismo la complacencia excesiva en la consideración de las facultades propias. Y dato raro pero importante, es que el perfil psicológico del traidor dice: *es generalmente inteligente* y la mayoría de las veces *padece de baja autoestima*, por eso *su obsesión o idea fija de tener lo que otro tiene al precio que sea.*

El traidor *siempre vivirá su propio drama* ya que nunca puede dejar de hacerlo porque *siempre se está contando su propia historia*, historias que él mismo se cree, y que *le hacen sentir justificado* por haber cometido dicha traición. Estas historias que se cuenta él mismo *le permiten limpiar su conciencia*, se convence así mismo de que *merecía tener lo que obtuvo como fruto de esa traición* y que todo lo negativo que de él se dice es meramente una mentira, quedando finalmente como víctima.

Podría platicarte algunas traiciones que yo mismo he vivido, pero nada tan interesante como lo que ahora te voy a contar.

DE LAS TRAICIONES MÁS ANTIGUAS QUE SE CUENTAN ES LA DE JUDAS ISCARIOTE

Un icono de la traición es Judas traicionando a Jesús por tan solo treinta monedas de plata, algo así como 66 dólares. No tenemos que ser amantes de la religión para conocer esta historia que todos citamos cuando nos referimos a una traición.

Según la historia, Judas se convirtió en el paradigma de tan aborrecible palabra al entregar a su mentor a los soldados romanos en el huerto de Getsemaní. Muchos dicen que también era su mejor amigo y su hombre de confianza, pues era él, Judas, el tesorero de Jesús. Nadie dejaría su dinero al cuidado de una persona en la que no confía, ¿no lo crees?

JUDAS, EL QUE TRAICIONÓ

Este odiado personaje entregó en una infame traición a aquel con quien caminó por más de tres años, con quien comió día y noche, y con quien viajó por una larga temporada. Cuántas conversaciones juntos, cuántos cafés tomaron mientras hablaban del futuro y de nuevos proyectos, intercambiando palabras que los convertían en cómplices de una amistad que los llevaría a tener la confianza de comer del mismo plato en la cena más recordada de todos los tiempos.

¿Qué pasaría por la mente de Judas? ¿Las monedas de plata que recibiría a cambio por la traición o simplemente le ganó su naturaleza? Me asusta pensar que en nuestra naturaleza esté el traicionar, que en cualquier momento tenga que hacer erupción en nosotros esa necesidad de traicionar a alguien.

No pretendo hacer un manual de cómo superar la traición en tres sencillos pasos (aunque de pronto así parezca), solo quiero contarte cómo Jesús trató y enfrentó este asunto. A mí, en lo personal, me ha ayudado en demasía, me ha funcionado practicar las acciones que Él tuvo ante esta desagradable vivencia.

Según la experiencia de Jesús, el hijo de Dios, saco una graciosa estadística. Recordando que eran doce discípulos, mi matemática me dice que "uno de cada doce te va a traicionar" (dije que era graciosa, no tienes que creerlo; aunque te confieso que pasé por una temporada donde esta estadística se incrementó y de pronto sentí que 6 de cada 12 me habían traicionado, así que no creas mucho en esto).

¿Cómo trató Jesús la traición?

JESÚS SABÍA QUE JUDAS LO IBA A TRAICIONAR Y NO LO EVITÓ

Intentar evitar una traición no provocará que salga del corazón de la otra persona: la traición ya se apoderó de su mente, de su corazón, y aunque le duela lo hará, pues ya lo maquinó, ya lo visualizó, ya se corrompió y ya permitió que algo o que alguien le susurre al oído motivándolo a hacerlo. A estas alturas, alguien –o algo– ya le ofreció 30 monedas de plata. Tú no podrás impedir una traición, porque la única persona que lo puede evitar será la que decidió traicionar. Y para ello se necesita mucho valor, mucha fuerza en su voluntad; necesita negarse a sí mismo que es lo que más nos cuesta al ser humano para que esa persona decida no ejecutar la traición ya premeditada, necesita las agallas de renunciar a aquellas cosas que va a recibir por traicionarte.

¡Qué difícil!

¡LA AMBICIÓN CAUTERIZA EL CORAZÓN!

No puedes evitar lo que está en el corazón de otra persona, no puedes mandar sobre las emociones de alguien, ni tampoco puedes obligar a las personas a no cometer ciertas acciones, porque al intentar hacerlo te hace violar el código del *libre albedrío*. Puedes tomar medidas retirándote lejos de esa persona, pero no puedes cambiar lo que hay en su corazón.

Veo la historia de Jesús y digo: ¡En serio, ya lo sabía y no hizo nada! Y hay momentos donde no podremos hacer nada para evitar las malas experiencias, solo fortalecer nuestro espíritu, nuestras emociones y estar listos para cuando el día malo llegue, y aun así dolerá.

A Jesús le dolió.

Deja de frustrarte porque piensas que algunas cosas las pudiste haber evitado y debiste de haber sido más inteligente, más astuto, y haber actuado con más malicia sobre tal o cual asunto. Te imaginas qué hubiera pasado si no le hubieras dado tanta confianza a esa persona; te culpas de haber abierto el corazón de esa manera. Pero en lo que menos pensamos es que acaso lo vivido no fue así para llevarnos a donde estamos ahora, en sí quizá esa negra experiencia a la larga hará algo positivo en nuestra vida.

Hay cosas que son inevitables, aunque tengamos la facultad de evitarlas. Sé que esto suena muy raro o tal vez un poco masoquista, pero no lo digo en ese tono, solo que hay momentos donde ciertas cosas las tenemos que dejar correr. Es un simple fluir de la vida que nos meterá ahí donde no queremos.

¿No será que a través de la traición es la forma en que esas personas se tienen que ir de tu vida sin que tú tengas que hacer absolutamente nada, sin que tengas que pedírselo? Tal vez nunca hubieras encontrado el valor para pedirles que se vayan y, entonces, "la mejor manera" de que se alejen de ti es traicionándote. No digo que sea la regla, sé que estás pensando que es tonto y cavernícola la idea que propongo, pero en muchos de los casos la traición se convertirá en nuestro aliado para llevarse a la o las personas que nos están haciendo daño; pero por la ceguera ante ese amor o amistad no lo podemos ver.

La traición desnuda totalmente el corazón de la persona traidora, y entonces podemos verle tal cual es. En el caso de Judas había avaricia. Ante esto podrías decir: "Qué bueno que no intenté evitar la traición, porque si lo hubiera hecho siempre viviría engañado". Dejemos de vivir tratando de cazar traicioneros, dejemos de buscar en las tiendas un detector de traicioneros, dejemos de vivir con el corazón cerrado para que nadie lo vuelva a dañar. Dos cosas son inevitables: 1) dejar de abrir el corazón; 2) ser traicionado alguna vez en la vida (bueno, varias veces).

NO PUEDES CERRARLE EL CORAZÓN A LAS PERSONAS POR CULPA DE UNA PERSONA.

Si Jesús hubiera cerrado el corazón por culpa de Judas, quienes hubiéramos pagado el precio seríamos nosotros.

QUIEN BUSCA MI ALEGRÍA, HOY NO TIENE POR QUÉ PAGAR POR LOS QUE ME HICIERON VIVIR UNA DECEPCIÓN EN EL PASADO.

La traición es una de esas cosas que pueden suceder en el pasado, pero que hacen más daño en el presente. Una traición, cuando se hace añeja, para estas alturas ya es dueña de tu vida. Y las nuevas personas que vienen a ti no son culpables de las personas del ayer que dañaron tu vida.

Un corazón cerrado no funciona. Podemos ser precavidos, pero con el corazón abierto, siempre.

SIGUIÓ LLAMÁNDOLO AMIGO

Jesús no manchó su imagen diciéndole cualquier palabra sucia provocada por el coraje de ser traicionado: le llamó *amigo*.

Jesús no perdió su esencia que es amar y perdonar hasta el final, le dice amigo con amor y no con sarcasmo. Jesús no perdió la pureza de su corazón y se dejó arrestar sin poner resistencia al ser entregado a los guardas que lo llevarían al peor de los sufrimientos, y aunque ahí comenzaría un viaje sangriento y lleno de humillación, le llamó *amigo*.

Todos diríamos que un amigo no haría eso. Pero sabes, si no se tratara de un amigo, entonces no sería una genuina traición.

Y Jesús le llama *amigo*.

¿Qué sentiría Judas?

No sé.

No quiero saberlo.

No sabemos qué sintió exactamente; pero sí sabemos el resultado de lo que sintió.

CUANDO JUDAS SE ACERCA A JESÚS PARA TRAICIONARLO ENTREGÁNDOLO A LOS ENEMIGOS, JESÚS LE DICE: ¿A QUÉ HAS VENIDO AMIGO? HAZ LO QUE TIENES QUE HACER.

¡IMPRESIONANTE LECCIÓN PARA NOSOTROS!

Al Jesús llamarlo amigo le estaba demostrando que Él no estaba echando por la borda la amistad sincera de tanto tiempo por un momento de avaricia y de deslealtad. Al decirle amigo le estaba dejando claro que Él sí sabía ser amigo hasta el final. Al decirle amigo le estaba diciendo *lo que siento por ti es más fuerte que tu traición*. Al decirle amigo le estaba diciendo *lo que estás haciendo no cambia lo que yo sentiré por ti siempre*.

No sé si yo esté listo para decirle amigo a quien me traicionó un día, pero al ver a Jesús hacerlo me impulsa a intentarlo, a vivirlo, a darme cuenta que el rencor no me lleva a ningún lado, a poder ser libre de la venganza y poder caminar libre por donde vaya.

Jesús consideró que no era un momento para reproches ni reclamos. Jesús consideró que era un buen momento para dejarnos una aplaudible lección de perdón aun en el mismo momento de ser traicionado. Interpreto ese "amigo" que sale de los labios de Jesús como *¡Te perdono ahora mismo! No se lo dejaré al tiempo, porque el tiempo también me puede traicionar.*

Dejamos de creer cuando dejamos de perdonar.

Dejamos de creer en sueños nuevos cuando no superamos una traición.

Dejamos de creer en las personas cuando creemos que todos son iguales a ese Judas.

Dejamos de creer en la vida misma al culparla por haber traído a esa persona a ti.

Quiero imaginar lo que Jesús pensó en ese momento: ***Me quedan once todavía conmigo y ellos me necesitan con mi corazón sano.***

¿Te traicionó una persona?, entonces mi pregunta es: ¿cuántas personas quedan a tu alrededor que son buenas y te aman?

Muchas veces quienes pagan el precio de una traición son los fieles que se quedan contigo, quienes ahora tienen que aguantar a un paranoico y amargado traicionado.

Al decirle ***amigo*** a Judas, Jesús le estaba diciendo, ***fuiste tú el que me traicionó y no yo a ti, así que el que se tiene que sentir mal eres tú, el que tiene que cargar con esto eres tú, quien tienen que sentir abatida su alma eres tú, el que tiene que sentir una herida profunda eres tú, quien tiene que pagar el precio de esta acción eres tú.***

No sé si con esa intención lo hizo Jesús, pero me es muy liberador pensarlo de esa manera. Yo te veo como amigo mientras tú me ves como un blanco para una traición.

Eso no va a cambiar.

Sé que es muy difícil perdonar, llamar amigo y superar una traición, porque lo triste de la traición es que nunca provienen de tus enemigos, proviene de la gente que amas y por eso duele.

Traición también tiene que ver con abandono, con esa persona que te dijo que siempre estaría contigo y en el momento más difícil de tu vida se fue. Esto es algo que también se debe superar, es algo que no te puede acompañar en tu vida como un amargo recuerdo.

Decirle amigo al que te ha traicionado o que se ha ido de tu vida en el momento que más lo necesitabas debe ser muy liberador. Y está bien, es muy liberador, ya lo viví.

NO PIERDAS TU ESTILO, *JESÚS NO LO PERDIÓ*

Jesús le dijo: "¿A qué vienes amigo?", hizo como que no sabía, actuó como si Él ignorara su sucia intención, era algo así como dímelo tú que yo no perderé mi estilo. Cuántas veces intentamos intuir quién será el próximo que nos va a traicionar y nos comportamos paranoicos con la gente, somos agrios con ellos, raros, sospechosos y hacemos sentir mal a esas personas que nos son fieles, que jamás nos traicionarán; les hacemos sentir traicioneros sin serlo, o simplemente les ponemos en la zona de candidatos a traicionarnos.

Haz como que no sabes.

Creo que eso fue lo que se dijo Jesús a sí mismo para no perder el estilo: *haz como que no sabes*.

Perder nuestro estilo es perder nuestra alegría, nuestra forma libre de ser, nuestra capacidad de celebrar la vida, nuestra manera de expresarnos sin prejuicios, nuestra manera abierta de amar, nuestra esencia envidiada por muchos, nuestra independencia que es la que nos ha llevado a donde estamos.

¡No perdamos nuestro estilo por una persona que sí lo perdió!

Y PERMITIÓ QUE SE ALEJARA Y SE DESTRUYERA

Me sorprende ver en esta historia cómo Jesús, con todo y que lo amaba, no lo detuvo, lo dejó que se fuera. No podemos tener a la fuerza a las personas a nuestro lado cuando su corazón ya se dañó; llamarlo amigo, perdonarlo y no reprocharle nada no significa que tienen que seguir a tu lado. Es más, en la mayoría de los casos lo más sano es que se vayan. Judas se fue de ahí sin que Jesús lo detuviera, pues ya había decido su propio destino. *Cuando alguien te traiciona es porque ya decidió alejarse de ti.*

SUELTA A ESA PERSONA DE UNA VEZ POR TODAS, NO TE AFERRES, NO INSISTAS QUE SE QUEDE EN TU RECUERDO, EN TU CORAZÓN Y EN TU MENTE.

Tal vez me podrás decir: "Gustavo, pero ya está lejos de mí". Y te digo que físicamente sí está lejos de ti, pero qué tal de tus pensamientos, de tu corazón, de tus conversaciones, ¡no se ha ido!

Nuestro problema es el siguiente: que aquella persona ya se fue, pero tú no la has dejado ir. Sí, sé que es una frase rara, creo que es por el café que me estoy tomado ahora mismo en una bella avenida de Lima, Perú.

MI CONSEJO ES: SUÉLTALO DE UNA VEZ POR TODAS SIN LA ESPERANZA DE QUE VUELVA.

Tener la esperanza de que esa persona va a volver es estar en una prisión con las rejas sin candado, somos medio libres nada más.

DALE SU LIBERTAD, PERO QUE SEA PARA SIEMPRE; AL FINAL DE LA HISTORIA QUIEN SERÁ LIBRE ERES TÚ.

Liberar, libera (otra frase rara, sigue haciendo efecto el café de Lima, algo le echaron). No tengas atado a ti a esa persona que te traicionó, porque entonces sentirás la traición todos los días y a todas horas. Ya no la menciones, porque cada vez que mencionas a esa persona estás proyectando amargura, aunque no lo reconozcamos. Hay otras personas leales que merecen tu mención, tu reconocimiento, y que merecen que tomes el tiempo de hablar bien de él o ella con otros.

Judas hace algo que sin duda conmovería a cualquiera: va y se quita la vida, no soportó el remordimiento. Jesús lo perdonó, pero él no pudo perdonarse a sí mismo.

LA TRAICIÓN ES EL ACTO MÁS DAÑINO QUE PUEDA EXISTIR; NO PUEDES HACER QUE LAS PERSONAS DECIDAN NO TRAICIONARTE, PERO SÍ PUEDES DECIDIR NO HACERLO TÚ A LOS DEMÁS.

TOMEMOS EN SERIO SANAR LAS HERIDAS QUE DEJÓ ESA TRAICIÓN

Andar heridos por la vida no es nada agradable, solo Rambo tuvo la capacidad de andar por ahí *herido* enfrentando enemigos desangrándose y sin que nada le pasara, sino todo lo contrario, así rescató a los rehenes porque es lo que lo hace ver más héroe. Pero tú y yo no necesitamos hacerle al héroe, tú y yo somos seres humanos susceptibles, vulnerables, que necesitamos tomarnos el tiempo de sanar nuestras heridas producidas por esa traición.

No andemos por ahí goteando sangre, tomemos el tiempo de sanar.

Hay quienes dicen que el proceso de una traición es similar al de un duelo, se experimenta negación, ira, tristeza, desajuste emocional y psicológico, desconsuelo, y creo que no podemos ir por la vida con todas estas cosas.

BUSQUEMOS AYUDA

Platiquemos con alguien. Llora lo que tengas que llorar; busca ayuda profesional; busca consejería espiritual; busca a ese amigo discreto que sabes que te dará un abrazo sincero; deja de escuchar a las personas incorrectas que te hablan de venganza; despierta en ti la habilidad de poder ver más adelante de la misma traición para que descubras que queda mucho por vivir todavía y que hay muchas cosas buenas por experimentar.

Esta traición para Jesús, aunque dolorosa, lo llevó a donde Él tenía que ir, ***a la cruz***; lo puso donde Él tenía que estar, ***dando su vida por el mundo entero***. Esta traición lo colocó en el centro de su propósito para lo que vino a la Tierra.

Nunca sabremos si lo que estamos pasando, por más difícil que sea, nos pondrá ahí, donde siempre hemos soñado. Lejos de decir que fue la peor experiencia de tu vida, dirás que fue lo mejor; doloroso, sí, pero lo mejor; casi te quita la vida, pero lo mejor. Descubrirás que todo ayuda para bien y que detrás de una tragedia se esconde una bendición. Podrás decir que fue lo mejor cuando veas el resultado que dejó esa traición. Lejos de dejarte una herida incurable, te dejará una enseñanza invaluable.

Así es damas y caballeros, detrás del telón de la vida encontraremos traición. No lo podrás evitar, pero tampoco te debe detener para salir a la puesta en escena. Recuerda que en el escenario todos reímos, todos interactuamos unos con otros, y todos actuaremos lo mejor posible.

Detrás del telón todo puede suceder, estemos listo para esto.

CAPÍTULO 4

CUANDO LAS PERSONAS SE VAN

No le des
tu pensamiento
a quien ya te
olvido.

Llegar al teatro, ir detrás del telón y darte cuenta que la persona que tanto amabas y con quien salías a escena ya no está en tu camerino, y solo hay una nota que dice: "*Me he ido*, alguien más ocupará mi lugar y ahora esa persona saldrá contigo al escenario de la vida".

La vida detrás del telón nos enseña que algunas personas tienen que irse de nosotros, pero nos cuesta tanto entender que nadie es para siempre, que somos parte de una rotación caprichosa y misteriosa que de pronto nos pone personas nuevas a quien amar y con quien continuar esta carrera, donde lo único seguro es que no la podemos correr solos.

Qué no haríamos porque las personas no se fueran de nosotros nunca.

Siempre nos topamos con añoranzas, recordando a los que ya no están. Son tantas las ganas de que estén aquí con nosotros que hasta podemos oler su aroma, podemos sentir su respiración y su esencia en esa habitación donde sorpresivamente la añoranza se apodera de nosotros.

Aun cuando el matrimonio es para toda la vida, tiene una fecha de caducidad cuando la muerte llega, y uno de los dos quedará solo en algún momento de la vida, confirmando con esto que en la puesta en escena que es la vida las personas se van tarde que temprano.

Hay momentos tan especiales para mí que lo daría todo porque se convirtieran en eternidad, que se paralizaran y que no pasara el tiempo por encima ellos.

Hay momentos tan emblemáticos que los quisiera dibujar en un gran mural y tener una varita mágica como la de Harry Potter para darles vida cada vez que yo quiera repetir la experiencia de vivirlos nuevamente. Tal vez sueno egoísta, pero es lo que quisiera con todo mi corazón.

Resucitar esos momentos que un día se fueron, creo que sería el deporte favorito de muchos de nosotros.

Hay personas que hacen que esos *momentos* sean especiales y se queden tatuados en la mente para siempre, y es eso lo único con lo que debes estar consciente que te quedarás, con un tatuaje de su recuerdo.

Lo único que nos puede consolar ante esta dura verdad es que *mientras unos se van, otros llegarán*, por la sencilla razón de que no fuimos creados para estar solos. Aun aquellos que dicen que son felices solos tienen de pareja a la señora *soledad*, platican con ella, la abrazan por la noche y la presumen por todos lados.

TODOS SE VAN

Los hijos se van, es la ley de la vida. Aunque de pequeños intentamos como papás hacer una especie de contrato con ellos, haciendo que se comprometan a que nunca se apartarán de nosotros, yo, que tengo tres hijas (acepto que si eres soltero ya me estés diciendo suegro en tu mente; sobre ti pido que venga la plaga del piojo... está bien, es broma... no, no lo es... jejeje); todavía recuerdo cuando de pequeñas me decían: "Papi, nunca vamos a tener novio, tú eres nuestro novio, tampoco nos vamos a casar para poder estar contigo toda la vida". Pero fueron creciendo y entonces me decían: "Papi, parece que siempre sí vamos a tener novio, pero tranquilo que nunca nos vamos a ir de ti". Ahora me dicen: "Papá, te prometemos que cuando nos casemos te vamos a venir a visitar".

Sí, los hijos se irán.

Los padres se van, los amigos se van, ese buen vecino se va también, hasta ese guardia de seguridad de la caseta de tu casa con quien tanto te encariñaste se irá; ese mesero que te atendía como a ti te gusta y hasta sabía ya tu bebida y platillo favorito, también se irá. Y no siempre la gente se va por disgustos o desacuerdos. Las personas se van porque así es la vida detrás del telón, desaparecen porque así tiene que ser. El guion de tu vida perfecta se comienza a descomponer anunciando que volverás a comenzar con relaciones nuevas.

La vida es cambiante y las personas van a otra cosa, y para eso tú serás el puente de transición. Ese mesero ahora es gerente del restaurante; tus padres se fueron a vivir a la ciudad de sus sueños; tu mejor amigo se tuvo que mudar por motivos profesionales; tu buen vecino que te aguantaba tus fiestas hasta la madrugada y a ese perro tuyo que tanto ladraba, por fin compró su casa porque ahí rentaba y se va feliz a una nueva aventura, y ahora no sabes quién será tu nuevo vecino (y todos deseamos que quien llegue a serlo también te aguante tus fiestas de madrugada y a tu perro que tanto ladra, porque si no, tu vida cambiará por completo); tus hijos y tus hijas salieron a vivir la vida a esa universidad fuera de la ciudad, a ese intercambio escolar que cuando tu hija te lo comentó sentiste que se te iba la vida de solo pensarlo. Pero lo más fuerte es que en ese intercambio al que tanto te negabas, sucede que resultó en realidad el medio para encontrar su independencia, porque tal vez fue en donde encontraron al hombre de su vida, y la única vez que regresarán a casa será solo para pedirle a mamá un sartén para guisar sus primeros huevos fritos ("estrellados", decimos en México).

Muchas de las veces la gente se va porque se tiene que ir, no porque quieran irse y tenemos que aceptarlo. Ahí es donde compiten el egoísmo y el amor, los buenos deseos compiten con los deseos narcisistas.

LA MUDANZA

Todos en algún momento nos hemos mudado. Para ser sincero, te confesaré que no es nada agradable, ni tampoco es algo que quisieras repetir después de haberlo hecho, pero la verdad es que siempre trato de estar listo para hacerlo. He tomado los cambios como algo normal en mi vida, pero eso no significan que no duelan.

Una mudanza representa cambios fuertes, desafíos nuevos, personas nuevas por conocer, dejar a personas que amamos, ambientes diferentes por adaptarnos, pérdidas. Cuando me mudé a Monterrey, México, mi caja de trofeos que gané en el fútbol cuando era niño no llegó a su destino, se perdió esa caja (a menos que Lily la haya dejado en Cd. Juárez intencionalmente, porque cada vez que yo veía algún trofeo le volvía a platicar la misma historia de cómo lo gané, aunque no creo, porque Lily me ama mucho).

La palabra mudanza siempre será parte de nosotros, siempre estaremos mudándonos a otro lado o a otra cosa, y esto exige que personas se vayan de ti o tú te irás de esas personas. Todos vivimos una constante mudanza a diario, despidiéndonos de aquello que pensábamos que sería parte de nosotros para toda la vida. Son esos momentos donde hay que guardar nuestros recuerdos en cajas de cartón que no sabemos si sobrevivirán al transporte de un lado a otro, y si sobreviven y llegan a su destino, solo será para meterlas a un cuarto hasta nuevo aviso.

No tengas miedo de mudarte de la vida de alguien más y no tengas miedo cuando alguien se tenga que mudar de ti.

Muchas de las veces perder a alguien es como perderte a ti mismo, es como si se llevaran tu propio respirar y por eso sientes que te ahogas al extrañar; es como que si se llevaran tu cabeza para pensar y por eso no te sientes dueño de tus propios pensamientos; y es como que si se llevaran tus labios y por eso tienes la dificultad de reír. Por eso debemos tener cuidado de que cuando alguien se vaya de nosotros, no nos haga sentir que perdimos ni mucho menos que se ha llevado lo mejor de nosotros. Con lo primero que nos enfrentaremos cuando alguien se va son con dos raras sensaciones: el silencio y la soledad.

LA SOLEDAD Y EL SILENCIO PARA MUCHOS SON SINÓNIMOS DE QUE ALGO TERMINÓ, PERO EN REALIDAD TENDRÍAN QUE SER SINÓNIMOS DE QUE ALGO ESTÁ POR COMENZAR.

SOLEDAD

Muchas veces, después de haber estado rodeado de personas, llegará la inesperada soledad, inexplicable, sin sentido, es decir, no tenías por qué haberte quedado solo, no había razón para que la gente se alejara de ti, no había un motivo que justificara la partida de esa persona o de esas personas. Para ti no tenía por qué pasar, las risas entre esas personas y tú eran muchas y, entendemos, sinceras; las conversaciones entre tú y esas personas eran perfectas; las tantas cosas en común decían que siempre tendrían que estar juntos; esa lealtad que se profesaban hacía pensar a muchos que nada irrumpiría su relación; la mutua satisfacción de esa compañía le provocaba a otros la envidia de querer vivir lo mismo; la dependencia que existía entre tú y esas personas les hacía pensar que no podrían vivir uno sin el otro; y el círculo era tan cerrado que no entraba alguien más, pues sentían que eran suficientes.

Pero es un error cerrar los círculos y no permitir que alguien más entre.

Hay episodios que ya no volverás a vivir, ya se fueron, acéptalo, para que seas libre de recuerdos que te quieran mantener atrapado en la melancolía y la añoranza, robándote nuevas vivencias, nuevos episodios, momentos con actores nuevos dentro del mismo guion de la vida. Y dolerá, y trataremos de gastar la vida en recuperar esas personas. Pero mientras tú desgastas la vida por querer hacerles volver, esas personas ya le pertenecen a alguien más, ahora forman parte de una nueva historia, ahora saldrán a escena con otros actores, y de la misma manera tú comenzarás a pertenecerle a otras personas.

Te despedirás de algunos para dar la bienvenida a otros, así debe de ser.

Ver partir a los que amamos no es nada fácil, soltarles la mano para dejarles ir es muy doloroso.

Aquí confieso lo cursi que soy al decirles que mi película favorita es *Titanic*, siempre que la veo me imagino que somos Lily y yo los personajes principales, pero lo que no me gusta nada es que yo me muero. Esta película me lleva a pensar en cómo, donde menos pensamos, podemos encontrar al amor de nuestra vida, a esa persona que nos hará cambiar el rumbo de los sentimientos, a aquella persona que lo dará todo por nosotros y donde tú darás todo por ella, pelearás contra todo y contra todos por estar a su lado, aguantarás toda clase de burlas y humillaciones como las vivió Jack por estar cerca de Rose, sonreirás mientras vas de la mano por ese barco gigante e imponente que aunque era gigante, su libertad tenía límites. Esto me pone a pensar que nuestras relaciones son parte de una libertad con límites que en algún momento aparecerán. Pero, aunque en medio de este barco gigante había límites, ellos disfrutaban su momento como si pudieran volar, corrían como si fueran dueños de ese barco. Cuántas veces necesitamos tomar esa actitud de ir por la vida como si fuera nuestra y correr por ella sintiéndonos dueños del mundo.

Jack y Rose hacían travesuras como escupir al mar (si eres un tanto ortodoxo favor de brincar este párrafo). Hay momentos en la vida donde hay que perder toda formalidad y sin prejuicios escupirles la cara a las palabras negativas, a las críticas, a los límites ridículos y sin sentido, a las adversidades que te quieren intimidar. Hay momentos donde debemos escupirle la cara a esa enfermedad que te dice que no tendrás un día más para vivir. Qué rica experiencia debe ser olvidarte de las clases sociales y pararte a la orilla del barco y desafiar a ese basto e imponente mar escupiéndole.

Pero dejemos los desafíos guarros y regresemos a la normalidad.

Me identifico mucho con la trama de *Titanic* (sobre todo por mi parecido tan fuerte con Leonardo Di Caprio). Disfruté mucho esta historia, hasta que llegó ese momento donde Jack y Rose están en medio del mar, entre la tragedia, y con pocas posibilidades de quedarse juntos para siempre. La soledad volvía a tocar la puerta de Rose, en esa escena cruel de la despedida con ella arriba de un pedazo de madera y él dentro del agua, congelándose y muriendo. Rose tuvo que decidir, aunque lo amaba, soltarlo para poder salvar su vida.

De que los hay, los hay, momentos donde tendremos que tomar la dura decisión de soltar la mano de alguien para dejarlo ir, si eso significa salvar nuestra propia vida. Te confieso que he visto esta película como cien veces, y todavía espero que Jack se salve; me siento a verla con toda la emoción de que así podría ser... pero Jack siempre se muere.

Así pasa, al final, es esta escena de separación y soledad la que ha quedado fija en nuestras mentes desde que se estrenó y ganó premios. Rose ya sin Jack se dirige sola al barco que la rescatará para luego rehacer su vida.

Tranquilo, que un barco está por rescatarte para llevarte a rehacer tu vida. Por lo pronto, saca provecho al máximo de esa soledad pasajera.

A mí no me gusta la soledad, no me gustaba, bueno ya no sé, porque si me preguntas si me gusta estar solo te diré que no, pero cada vez que me quedo solo disfruto sintiendo que es mi momento, un tiempo para mí nada más donde experimento las pláticas más tontas conmigo mismo, pero que me dejan como resultado esas decisiones maduras que necesitaba tomar, momentos que me permiten extrañar a las personas que valen la pena en la vida y al mismo tiempo me dejan darme cuenta que mi vida se está desgastando con personas que no tendrían que estar en mi camerino.

La manera de quitarle el poder a la melancolía en medio de la soledad es convirtiéndola en tu aliada, disfrutando cada momento de su compañía. De pronto te encuentras solo, y entonces ese círculo se vuelve a abrir para que nuevas personas vengan a tu vida, y a volver a empezar.

EL SILENCIO

El silencio nos dejará escuchar nuestra voz interior. El silencio nos dejará pensar lo que el bullicio no permite. El silencio te dejará escuchar la voz de ese Ser supremo que quiere guiar tu vida.

El silencio también habla.

Todos necesitamos un tiempo de silencio, de ese silencio que nos habla y nos dice las cosas que el ruido interrumpe; necesitamos esa quietud que solo el silencio puede darnos. Así que lejos de pensar que el silencio es sinónimo de tristeza, los expertos dicen que el silencio es terapéutico para ciertas depresiones.

No tengamos miedo de experimentar ese tiempo de silencio donde nadie te llama, donde nadie te escribe, donde parece que tu *WhatsApp* no funciona y la bandeja de entrada de tu correo personal no te reporta un correo nuevo. Los reencuentros con uno mismo son en el silencio; las mejores decisiones se toman en el silencio, las mejores ideas surgen en el silencio. Entonces, ¿por qué aferrarnos a las personas que solo ocasionan ruido perturbador en nuestra vida? Hay personas que se deben ir de ti porque te urge ese tiempo de silencio para que puedas resolver tu vida.

Qué difícil es soltar personas, pero si no lo hacemos, moriremos con ellos como hubiera ocurrido con Rose si no soltaba a Jack.

Llegará un momento donde la distancia entre esa persona que se fue y tú comenzará a traer su efecto, comenzará a doler, te hará una herida, provocará lágrimas. Pero tengo que darte una buena noticia, todo se supera, no tienes por qué pensar que la vida se acabó si esa persona ya no es parte de tu vida. Mete muy bien esto en tu mente: ¡todo se puede superar!

LA DISTANCIA DUELE, PERO ES POSIBLE CURARLA.

No tenemos por qué fingir que todo está perfecto, mejor aceptemos que estamos en la etapa donde nos duele, donde la herida sangra, tengamos el valor de contestar cuando nos pregunten cómo estamos: “Dolido por quien se fue, pero entusiasmado por quien llegará”.

¿CÓMO SUPERAR ESA ESTOCADA CUANDO ALGUIEN TE DICE ME VOY?

Es la pregunta de muchos, y yo te puedo decir que lo primero que tenemos que hacer es buscar personas dispuestas a sanar nuestra herida, porque tenemos que reconocer y estar conscientes que tenemos una herida que sanar. No nos hagamos los fuertes, que no nos dolió o que nada pasó, lo reconozcas o no hay una herida en ti y alguien tiene que ayudarnos a sanarla. No digas que no hay nadie, sí hay. La misma herida te ciega para que no puedas ver a tantas personas que quieren estar ahí contigo para curar esa estocada que te dejó la partida de alguien. Todos ven las gotas de sangre menos tú. Si alguien las detecta es porque quiere ayudarte a sanar esa herida.

Deja que las personas que te quieren dar amor lo hagan, por lo regular no les permitimos que nos den de su amor porque pensamos que todas las personas son iguales. No les dejamos que nos den de su amor; pero si algo nos puede ayudar a superar esa estocada no esperada es el amor de alguien más.

Te puedo decir con mucha convicción que otra de las maneras de superar esa estocada de cuando alguien te dice "me voy", es seguir creyendo en los demás. No es momento de cerrar más fuerte tu círculo sino todo lo contrario, es el tiempo perfecto para abrirlo.

TEN POR SEGURO QUE LAS PERSONAS QUE VIVEN EN UN MUNDO CERRADO NO SON FELICES, AUNQUE INTENTEN DEMOSTRAR LO CONTRARIO.

Toma el tiempo de sanar tus heridas permitiendo a otros hacerlo. Déjate amar, que el amor todo lo puede. Sigue creyendo en los demás; convéncete a ti mismo de que los se fueron tenían que hacerlo por tu propio bien.

Soy un contador de historias positivas que las cuento antes a mí mismo al irme a dormir, y eso sana mi corazón.

En el mundo del teatro siempre habrá un público diferente dándole cariño, admiración y aplausos al actor, siempre habrá personas distintas haciéndole sentir bien, valorado y amado, y así tendríamos que verlo en nuestras propias vidas, entender que existen más personas alrededor que quieren hacernos sentir amados, valorados, que lo darían todo por hacernos sentir bien.

Deja de pensar que porque alguien se fue de ti perdiste; deja de tomar esa actitud de víctima que va por la vida tratando de dar lástima porque te dejaron solo.

EN LA VIDA NO PIERDE EL QUE SE QUEDA SOLO, SINO EL QUE SE VA DEJANDO A ESA GRAN PERSONA.

Quedarte solo no es derrota. Cuando de pronto te quedes solo es la perfecta oportunidad para que lleguen personas nuevas a tu vida.

Deja de preocuparte, que en la historia de tu vida no todos caben y por eso algunos tienen que irse.

Ya no te preocupes, ya no te desgastes, ya no llores, que en la extraordinaria obra de tu vida algunos no caben, así que no tienen por qué tener el privilegio de brillar contigo.

Hay personajes que no caben en tu guion, deja de querer meterlos a la fuerza porque harán un pésimo papel cuando tengan que salir a escena contigo, se notará ante los demás que ese actor no encaja en tu puesta en escena y a la larga, las personas que no caben en tu vida se irán, pero no se irán bien, porque les tuviste a la fuerza; todo los días les tenías que convencer de estar contigo, así que al irse será todo un dolor de cabeza, una partida agresiva y desgastante llena de reproches que te harán sentir que nunca estuviste a la altura de ellos.

Pero, quiero hacer una aclaración, porque siento que he estado sonando al "Doctor Corazón", y esto que he hablado no solamente aplica a una relación de matrimonio o de parejas, esto que hablo tiene que ver con todas las personas con las que tenemos relación: amigos, socios, familiares y demás. Yo era una de esas personas que siempre en medio de mi añoranza intentaba hacer volver esas cosas del ayer, hasta que me di cuenta que eso ha cambiado en mí, y hoy puedo decir *que hay cosas que no quiero que vuelvan por más bellas que hayan sido, porque entonces estaría renunciando a lo que estoy viviendo hoy y no quiero*. No quiero renunciar, porque lo que hoy me está sucediendo es hermoso.

DUELE EXTRAÑAR, PERO MUCHAS VECES DUELE MÁS SEGUIR CON ESAS PERSONAS TÓXICAS EN TU VIDA. ATRÉVETE A EXTRAÑAR UN TIEMPO Y NO PAGAR LAS CONSECUENCIAS TODA UNA VIDA POR AFERRARTE A PERSONAS QUE TE HACEN DAÑO.

HAY PÁGINAS DE NUESTRA HISTORIA QUE SE DEBEN ARCHIVAR Y OTRAS TRITURAR

Hay recuerdos lindos de personas que se fueron de nosotros que vale la pena archivarlos; pero hay recuerdos de personas que se fueron que deberíamos triturar.

Nunca guardes lo que no sirve.

HAY COSAS QUE NO PUEDES ARRANCAR DE LA MEMORIA, PERO SÍ DEL CORAZÓN

La memoria tiene mucha capacidad de almacenamiento, el corazón no. Quizá siempre vendrán recuerdos de ciertas personas, pero si ya no están en el corazón, te aseguro que ya no dolerá.

SOLTAR PERSONAS ES SOLTAR AMARGURAS.

SOLTAR PERSONAS ES SOLTAR PROBLEMAS.

SOLTAR PERSONAS ES SOLTAR PESADILLAS QUE NO QUISIÉRAMOS VOLVER A TENER.

SOLTAR PERSONAS ES SOLTAR LO QUE YA SE TERMINÓ.

Habrá personas que entrarán y saldrán de nuestras vidas todos los días, de eso tendríamos que estar muy *conscientes*, preparados y mentalizados. Llegarán nuevas personas que nunca formarán parte realmente de nosotros, pero llegarán solo para una etapa más de nuestra vida, cumplirán un propósito o nosotros cumpliremos un propósito en la vida de ellos. Pensémoslo así para no caer en el egoísmo: llegarán otras personas que nos desilusionarán o que nosotros los vamos a desilusionar, así que cabe la posibilidad de que la relación llegue a su fin.

Por último, te digo que llegarán muchas personas que parecerá que están ahí en la historia de nuestra vida, pero que en realidad no están, ni estarán.

NUNCA SE GANA UNA NUEVA PARTIDA DE AJEDREZ SIN HABER PERDIDO ALGUNAS PIEZAS IMPORTANTES.

**LA VIDA NO SE ACABA PORQUE ALGO SE ACABÓ.
LA VIDA NO SE ACABA PORQUE ALGUIEN SE FUE.
SUPÉRALO Y SAL AHORA A DAR LA MEJOR ACTUACIÓN DE TU VIDA.**

No sé qué te parezca el final de este capítulo, te doy la opción de cambiarlo porque creo que será como ese final no deseado de esa película de amor que te hace salir enojado del cine. Aquí te lo dejo:

¡Aun los que se quedan, se irán!

CAPÍTULO 5

LÁGRIMAS QUE SE CONVIERTEN EN RESPUESTAS

El arte
de sonreír
mientras
lloramos nos
hará más
ligero el difícil
proceso.

En el escenario hay risas; detrás del telón hay lágrimas.

Lágrimas que no quisiéramos derramar, que quisiéramos sirvieran para otra cosa y no para representar el dolor, lágrimas que preferiríamos que broten de otros ojos y no de los nuestros.

Quisiéramos que las lágrimas no existieran, que las risas fueran las únicas protagonistas a lo largo de nuestro camino, desearíamos que nada irrumpiera nuestros bellos momentos de alegría y daríamos todo porque nuestra puesta en escena carezca de momentos donde tengamos que llorar.

Anhelamos que en el guion de nuestra vida no exista la palabra *llorar* porque, aunque a veces lloramos de felicidad, para la mayoría de nosotros llorar es sinónimo de tristeza y de dolor.

Es común que pensemos que llorar es el resultado de una mala noticia, que llorar es el resultado de una pérdida, el sentimiento de haber sido traicionado.

Yo lo veo así:

Llanto es una expresión sin planear.

Llanto es eso que sale por los ojos cuando se terminan las palabras de nuestra boca para poder gritar.

Llanto es el sinónimo de que has perdido algo tan valioso que merece el gesto de llorar.

LLANTO ES ESO QUE PAGAS HOY PARA PODER TENER ALGO EL DÍA DE MAÑANA.

Llanto es la evidencia de que estás vivo.

Llanto es la prueba de que eres un ser que siente y no que solo existe.

Llanto es eso que todos necesitamos para poder ser libres en los momentos más amargos de la vida.

¿Quién no ha llorado en esta vida?

¿Quién no ha derramado lágrimas por algo o por alguien?

¡Todos hemos llorado!

Aun aquel que dice que nunca ha llorado, llora.

Aquel que se jacta de no llorar es porque tiene lágrimas acumuladas que tarde que temprano tendrán que salir.

¡Todos hemos llorado en algún momento de la vida!

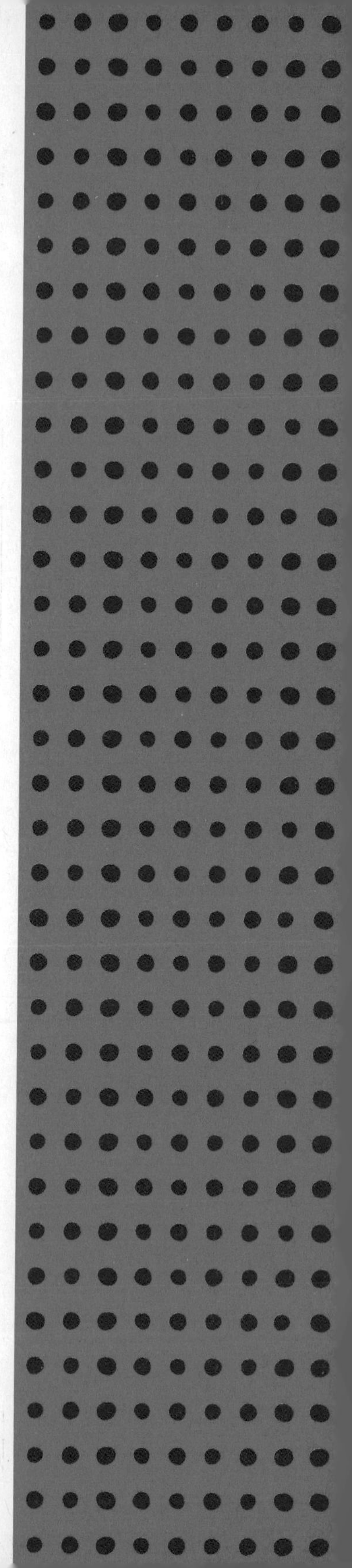

Eso es indiscutible. ¡Ah!, ¿dices que no? Lo que pasa es que no puedes recordar cuando ese desconocido "Doctor Abusivo" te golpeó por tu bien dándote unas nalgadas al nacer (y también por haber nacido tan feo). Yo todavía quiero conocer al que me pegó por primera vez para cobrar venganza.

Llorar es lo más normal de experimentar, por la sencilla razón que sentimos, porque nos duelen las cosas, porque somos vulnerables, porque somos sensibles y, aparte de todo, porque tenemos lágrimas, supongo que para eso son.

No sé dónde está la parte de la valentía en el dicho *"Yo no lloro"*. No sé dónde está el gran mérito al hacerle creer a las personas que nosotros no lloramos.

Hay personas más expresivas que otras y eso ni dudarlo, pero todos en algún momento hemos llorado en silencio.

Cuántas veces has terminado de dar tu mejor función del día y al regresar, ya detrás del telón, te metes a tu camerino, cierras la puerta y comienzas a llorar en silencio para que nadie te escuche.

Yo lo he hecho.

TODOS EN ALGÚN MOMENTO HEMOS LLORADO EN SILENCIO

Llorar en silencio es como llorar hacia a dentro. ¿Te ha pasado? Cuando alguien de pronto te pregunta: "¿Cómo estás?", y tú con la voz quebrada, descompuesta y con un nudo en la garganta respondes: "¡Bien!". Que sensación más rara llorar hacia dentro, ¿no crees?, pero sucede. No siempre es malo llorar hacia dentro, el problema es dejar esas lágrimas ahí atrapadas para siempre.

Cuidado con dejar las lágrimas adentro, nos puede hacer mucho daño, nos amarga, nos hace rencorosos, nos hace ser quien no somos, hace que nazca odio en nosotros; puede hacer modificaciones en nuestro carácter, afectar nuestra esencia, nos hace aprensivos y puede convertir ese llanto pasajero en un llanto crónico.

Hay momentos necesarios donde hay que llorar hacia dentro, pero preocúpate por sacar ese llanto de ti los más pronto posible.

Lloramos en silencio porque puede ser que nos dé pena que nos vean llorar y por eso nos gusta hacerlo en silencio, donde no hay nadie, solo tú y tus lágrimas, ah, y *la razón* que te hizo llorar. No nos gusta que nos vean llorar porque pensamos que nuestros enemigos nos mirarán y gozarán al ver nuestro dolor. (Entiéndase que cuando digo enemigos hablo de eso o de esos que te hicieron llorar).

Preferimos llorar en silencio porque no queremos que los demás sepan que somos vulnerables, es algo así como no querer convertirnos en el blanco de las personas que les gusta hacer llorar a los demás.

También en muchos de los casos nos gusta sentirnos súper héroes para que todos digan: "¡*Wow*!, creo que él es Batman y no nos quiere decir". Y muchos lloramos en silencio porque lloramos muy feo, se nos descompone la cara cual El Exorcista; creo que nadie llora bonito, porque aun los que somos muy bien parecidos nos deformamos cuando lloramos, aunque no lo creas.

La primera novia que tuve en mi vida la dejé porque lloraba muy feo.

La primera vez que la vi llorar pensé que era broma, y cuando me reí, ¡comenzó a llorar peor!, parecía que se estaba transformando en demonio (y eso que no conozco los demonios). Cómo se pondría mientras lloraba que fue muy traumático para mí, tuve que ir al psicólogo por un tiempo y, obvio, ella pagó todo.

Nadie llora bonito, solo en las telenovelas.

Es inevitable llorar detrás del telón. Deja de pensar que eres el único que llora y deja de creerle a las personas que dicen que la vida debe ser puro éxito y risas. Por eso estamos haciendo un recorrido por detrás del telón para que puedas ver que hasta el actor más famoso y exitoso llora en su camerino.

Por más perfecta que pueda parecer nuestra vida, llegará ese momento donde las cosas darán esos giros inesperados que te llevarán de estar en una obra teatral de risa a una de drama. Siempre he dicho que la vida puede ser un drama o una comedia, y que cualquiera de las dos tendrá que llegar a su fin y hay que volver a empezar.

LOS PAISAJES CAMBIAN

Los días soleados también se descomponen mientras pasan las horas, y cuando menos pensamos aparecen las nubes negras que comienzan a transformar el paisaje, aparece esa lluvia que arruina tus planes, ese viento que te despeina y cuando menos piensas, el paisaje cambió, pero, ¿qué crees?, sigue siendo un paisaje. De ti depende si lo contemplas y lo disfrutas o te arruina el día por completo.

Ahora tendremos que adaptarnos a este nuevo paisaje, hay que sacar el paraguas, hay que cambiar nuestros zapatos por botas para lluvia; ahora hay que manejar con más precaución y hay que resignarnos a que el viento nos mantendrá despeinados durante el día sin dejarnos lucir ese peinado esmerado. Lo siento, pero ese día no te podrás parecer a Maluma con tu peinado.

Cuando llegan esas nubes negras de sorpresa lo único que piensas es que por la mañana todo estaba muy bien, que no tenía sentido que todo cambiara tan repentinamente.

Lo mismo pasa en nuestro diario andar, cuando todo marchaba de maravilla durante la mañana, por la tarde todo cambió. Esa mañana llena de risas se convirtió en tarde de llanto. Cuántas veces ese cambio de paisaje te ha llevado a llorar lleno de amargura pensando que las cosas siempre serán así, creyendo que lo que te acaba de pasar es el anuncio de que se terminó tu vida.

Comenzamos con preguntas, miramos al cielo y decimos ¿Por qué a mí? ¿Yo qué hice para merecer esto? ¿Por qué si yo soy bueno? ¿Por qué a la gente mala no le pasa lo que me pasó a mí? ¿Por qué él sí y yo no?

Preguntas, preguntas y más preguntas mientras lloramos.

El estado de llanto nos hace ver que los demás sí tienen lo que nosotros no, y eso nos frustra. Los demás sí tienen hijos y tú no; los demás sí tienen un coche y tú no; los demás tienen una casa con alberca y tú no; los demás sí tienen novia y tú no. Entre el ellos sí y el nosotros no, la vida se torna triste. Eso nos hace llorar.

Habrá muchas razones que nos hagan llorar en esta maravillosa obra teatral que es la vida.

LLORAMOS POR LO QUE NO TENEMOS Y DEJAMOS DE ALEGRARNOS POR LO QUE SÍ TENEMOS.

Somos muy dados a siempre estar viendo hacia el frente, olvidándonos de lo que tenemos con nosotros. Siempre queriendo lo que los demás tienen al precio que sea, al costo de llorarlo toda una vida. Pero no todo lo que ven mis ojos se hizo para mí.

Las peores crisis de llanto son provocadas por desear con toda el alma las cosas que no podemos tener, olvidándonos de todo lo que sí podemos tener y que está a nuestro alcance. Siempre estamos inconformes, inquietos, queriendo estar en cualquier lugar menos en el lugar de tu felicidad. Aun en las cosas más simples queremos lo que otros tienen. Los flacos queremos estar gordos, los gordos flacos, los chinos lacios, los lacios chinos y los guapos no *nos* conformamos y queremos estar más guapos (este libro contiene una alta autoestima, creo).

LLORAMOS POR LO QUE NO PUEDE SER Y DEJAMOS DE SONREÍR POR LO QUE SÍ PUEDE SER

Debemos permitirnos reconocer que hay algunas cosas que no se hicieron para nosotros, que hay cosas que no van a suceder porque fueron hechas para otros y ellos no tendrán lo que fue hecho para ti. Nada tiene que ver esto con la predestinación, simplemente con aceptar en algún momento de nuestra vida lo que no puede ser. Tantas cosas que hay a nuestro alrededor que nos quieren sacar las sonrisas más bellas y disfrutables y nosotros las cambiamos por añoranzas platónicas, que lo único que logran es hacernos perder la oportunidad de sonreír por las cosas que sí pueden ser.

No digo que no debes soñar con ciertas cosas que hasta ese momento se vislumbran como imposibles, lo que estoy diciendo es que, si después de haberlo dado todo por ese sueño no ocurre nada, te des la media vuelta y vayas inmediatamente en busca de las cosas que sí fueron hechas para ti. Lo sorprendente es que verás que te costará menos trabajo conquistarlas.

Qué bello ese verso que dice que los que siembran con lágrimas, cosechan con alegría, porque hasta para sembrar lo que mañana queremos cosechar se hace con lágrimas. Así que el llanto es parte de nuestra vida, acéptalo y no te resistas cuando brote.

Es más, lloramos hasta por ese golpe que nos damos descuidadamente en el dedo pequeño del pie en la esquina de la cama. "¡Dios mío!, no puede ser que he soportado tantas tribulaciones sin llorar y hoy este golpe en el dedo pequeño lo logró", pensamos. Y te frustra más cuando ves a tu esposa riéndose en vez de estar llamando urgentemente a la ambulancia. Comienzas a decir: "Cortémosle las patas a esta cama tonta", y de repente sientes que la cama te contesta: *"El tonto eres tú, yo siempre estoy aquí fija, que te las corten a ti"*. ¡Ya hasta la cama te falta al respeto!

Pero te tengo una buena noticia.

¡SE VALE LLORAR!

No te creas que eres la única persona que está llorando, que eres el peor de los derrotados, no compres la mentira de que la vida se terminó en medio de tu llanto. Los grandes líderes del mundo lloran.

Los generales de ejércitos lloran, a solas, hacia dentro, pero lloran. Los líderes espirituales lloran. Los boxeadores lloran. Yo me considero una persona alegre y positiva, pero también tengo etapas en mi vida donde necesito llorar, donde necesito sacar las lágrimas que muchas veces lloro en silencio. Lloro hacia adentro; aunque la verdad no tengo tiempo de llorar durante el año, porque cuando no estoy escribiendo un libro, estoy grabando una temporada nueva de mi programa de televisión, o cuando no estoy grabando televisión estoy viajando por Latinoamérica con mis conferencias, y aun cuando no estoy viajando, estoy en casa con mis hijas, mis perros y mi esposa, y pues ese tiempo tengo que estar optimista y alegre. Así que por lo regular lloro regularmente los días 19 y 20 de diciembre. A veces Lily me lo recuerda: "Flaco, no has llorado"; y yo: "Tienes razón, acompáñame a llorar", y agrego: "Si tú no traes ganas o razones, pues nada más me vez y me abrazas".

Qué rico es llorar hasta que te faltan las fuerzas para seguir haciéndolo, cuando las tres especies hacen la perfecta fusión: la lágrima, el moco y la baba. ¿Has llorado así? Yo sí, es muy rico, tanto que al final te quedas ahí tirado en medio de un descanso que ya necesitabas, entonces las tres especies hacen un engrudo que te deja ahí pegado y necesitas que te ayuden a despegarte.

Hay días donde necesitamos llorar así, sacando esas lágrimas liberadoras, en vez de sacar las palabras que quieren cobrar venganza con aquellas personas que nos hicieron llorar. Créeme, es mejor sacar las lágrimas con sentimientos que las palabras con ira, y si no me crees, solo recuerda la frase popular que dice *"Le voy a decir hasta de lo que se va a morir"*. ¡Imagínate!

Por lo tanto, quiero en esta sección del libro dejarte palabras que te motiven pero que al mismo tiempo te desafíen:

SE VALE LLORAR, PERO NO TODA UNA VIDA.

Que tu llanto sea solo por un periodo de tiempo y por aquello que vale la pena llorar.

Se puede llorar en la vida, pero nunca se te olvide que la vida no se hizo para llorar.

Después de que llores seca tus lágrimas, levántate y sigue avanzando, que puedas decir un día lloré, y no, hoy estoy llorando.

LA VALENTÍA NO ESTÁ EN NO LLORAR, SINO EN LLORAR Y LEVANTARSE PARA SEGUIR ADELANTE A PESAR DE LAS ADVERSIDADES.

Cuando menos pienses esas lágrimas comenzarán a convertirse en respuestas. Entonces comenzarás a experimentar que conforme se están yendo las lágrimas, simultáneamente están llegando las respuestas. Comenzarás a concluir sin caer en un pensamiento masoquista que era necesario llorar una temporada para que las cosas sucedieran, para que las respuestas empezaran a llegar.

Una vez más, te recuerdo ese bello verso que dice que los que siembran con lágrimas cosechan con alegría, y la cosecha es la respuesta de un arduo trabajo realizado con lágrimas. Esto me lleva a una poderosa conclusión: *que las lágrimas se pueden convertir en esa respuesta que lo único que provocará por un tiempo será alegría.*

A veces llorarás desconsoladamente, pero después reirás a carcajadas, te lo puedo asegurar.

HABRÁ GENTE QUE NO ENTENDERÁ TU LLANTO

Hay personas que no podrán entender tu angustia ni tu aflicción, pensarán que exageras, pensarán que solo es un capricho por lo que lloras o que solo estás fingiendo. Pero tú no debes afligirte más de lo que ya estás solo porque otros no entienden tu llanto: llora lo que tengas que llorar, grita lo que tengas que gritar, porque estás en ese preciso momento de sacar con ese llanto momentáneo aquello que no quieres que se pueda convertir en un llanto para siempre.

LA GENTE NO ENTENDERÁ TU LLANTO, PERO HAY ALGUIEN QUE SÍ

No hay mejor idea que resolver nuestro llanto de una forma espiritual, sintiendo que Dios nos abraza y nos comprende, que Él no hará preguntas ni reproches, que solo traerá consuelo a nuestra alma. ¿Por qué meter a Dios en esto? Es simple, porque un hueso roto lo atiende un traumatólogo, una gastritis un gastroenterólogo, un parto un ginecólogo, pero los dolores del alma, solo Dios.

Lo increíble de todo esto es que *Dios conoce el lenguaje de tus lágrimas*. Cuando no hay palabras que decir, el llanto es suficiente para decirlo todo. Son esos momentos donde no te salen las palabras cuando estás hablando con otra persona, la cual al final no supo entender lo que tenías, pero el llanto basta cuando vienes a Dios porque Él conoce el lenguaje de tus lágrimas. Cuando tus palabras se terminan, tu llanto basta para que Dios pueda saber tus angustias.

Los que perseveramos y entendemos que no podemos quedarnos llorando toda una vida y nos levantamos con fe, podremos experimentar que nuestras *lágrimas se convierten en respuestas llenas de alegría*.

No sé por qué estas llorando ahora, pero sí sé que pronto va a concluir tu llanto, y vendrá un tiempo nuevo donde las lágrimas no serán las protagonistas de tu próxima función en el escenario, *donde tu lamento se convertirá en baile*. Sí, dije baile, y tu mejor baile lo darás por donde vayas, sin pena, libre, celebrando que las lágrimas se convirtieron en respuestas; bailarás perdonando a quien te hizo llorar porque ahora tienes respuestas nuevas; bailarás en el paisaje que te encuentres, asoleado y despejado o aun bailarás con esas nubes negras; bailarás tanto que te alcanzará la lluvia, pero esa lluvia ya no arruinará tu tarde, ahora será parte de tu coreografía, donde comprenderás que aun las tormentas juegan a tu favor. Llorarás –sí, lo harás–, pero de alegría, de agradecimiento y de gusto también. Ahora tus lágrimas se convierten en amigas de tu risa, podrán estar juntas celebrando ambas que estás en la etapa de tu vida que tanto habías anhelado. Ahora reirás tanto porque estás consiente de que el día de mañana es incierto, pero el día de hoy celebras porque está lleno de razones para hacer fiesta.

Las lágrimas que puedan brotar de ti saldrán limpias, sin rencores, sin reproches, sin odio, serán lágrimas limpias que inspirarán a otros a pasar su proceso difícil con la certeza de que al igual que te pasó a ti, a ellos también sus lágrimas se les convertirán en respuestas.

Después de un llanto tan largo y pesado llegarán esas respuestas que te harán sentirte el dueño del mundo, aunque sea por un momento.

LLORAR NO SIGNIFICA DERROTA, LLORAR SIGNIFICA TRANSICIÓN A ALGO NUEVO

Cuando vuelva esa temporada de tener que llorar, sabrás que llorar no significa derrota, sino que estarás seguro que llorar significa transición hacia algo nuevo. Así que ahora llora; pero hazlo con estilo, con clase; ahora el guion cambió y el drama exige un giro sobre el escenario de tu vida antes de que venga de nuevo la parte agradable de la comedia. Llora como mejor sabes hacerlo hasta que llegue el momento de reírte de tus problemas, en vez de estar llorando por ellos.

El arte de sonreír mientras lloramos nos hará más ligero el difícil proceso.

¡Se vale llorar, pero no toda una vida!

DETENGAN ESTE TREN

Sé Libre…

Vuelve a
respirar,
vuelve a correr,
vuelve a volar y
vuelve a gritar.

Un día nos subimos al tren de los sueños y de las ilusiones.

Nos subimos a ese tren con la esperanza de que nos llevará al éxito.

Nos subimos a ese tren pidiéndole que nos pusiera ahí donde el boleto dice "META".

Íbamos arriba de ese tren emocionados porque por fin las oportunidades llegaron y algo bueno se vislumbraba al observar el horizonte a través de la ventana.

Cerramos nuestros ojos en el inicio de este viaje imaginando lo maravilloso que sería estar en los mejores escenarios que la vida puede tener.

Siempre que hacemos un viaje, por fuerza dejamos algo que amamos, pero que sabemos que el sacrificio de dejarlo valdrá la pena. Ese tren dejó atrás tantas cosas que solo nos quedó pensar que un día las volveríamos a ver o que un día las recuperaríamos, aunque no estábamos seguros si ese tren haría un retorno o simplemente nunca volvería a pasar por ahí, por donde dejaste tantas cosas que un día solo serían recuerdos.

Todavía viene a mi mente que cuando tenía 15 años ya quería tener 40; ahora que tengo 40 quisiera que el tren que me trajo hasta aquí me llevara de regreso a los 15. Pero este tren no es de juego, sus viajes son muy en serio.

La emoción y la adrenalina de subirte a ese tren que te llevará a lograr las cosas que tanto quieres te hace olvidarte de los bellos detalles que tiene la vida, pero que la velocidad a la que va el tren no te permite disfrutarlas.

De pronto, te das cuenta que ese tren se ha acelerado, no te diste cuenta en qué momento ese tren amable y cuerdo que paró, de repente se volvió agresivo y loco.

Muchas veces siento que ese tren en el que me subí hace tiempo cada vez se vuelve más loco.

Todavía recuerdo cuando mi hija mayor, Paulina nació y la tomé con una sola mano porque cabía en mi palma, y hoy después de 20 años mi mano solo puede tomar la de ella para caminar juntos.

¡Ya no puedo cargarla, ahora solo puedo abrazarla!

¿En qué momento ese tren me trajo hasta aquí?

¿En qué momento se aceleró?

¿Por qué no me bajé de ese tren por un tiempo para acumular memorias importantes?

Las canas te dicen que ese tren va muy rápido.

Las primeras arrugas te anuncian que ese tren no paró.

Cuando nos ponemos a contar cuántas primaveras han pasado por ese árbol del patio de tu casa que yergue ya cansado.

Cuando comienzas a cansarte un poco más al subir las mismas escaleras que antes subías como todo un atleta, entonces te dan ganas de gritar a los cuatro vientos: ¡Detengan este tren!

El tren de las ilusiones se convierte en el enemigo del tiempo.

Te cuento algo privado que espero solo tú lo sepas, no se lo digas a nadie: soy feliz, me siento satisfecho, sé que hay mucho por hacer, sigo soñando, pero me gustaría que el tren se detuviera por un periodo de tiempo, solo un poco, de verdad, es mi deseo, quiero que me dé oportunidad de digerir todas las estaciones que han pasado, porque han pasado muchas cosas y algunas no las he asimilado. Quiero que se detenga para que me dé tiempo de disfrutar algunos logros y también de llorar algunos fracasos por los que no he podido a causa de la velocidad del viaje. Pero no lo quiero hacer arriba del tren, lo quiero hacer abajo, donde nada se esté moviendo, donde haya quietud; donde alguien me puede abrazar, donde alguien me diga que todo está bien, donde alguien me diga que no pasa nada si no que soy el número uno, que no pasa nada si no gano, que no pasa nada si no me aplauden; donde alguien me diga que no todo es una competencia por ser el mejor; donde alguien me diga que soy especial solo por el hecho de haber nacido y no porque logro cosas y algo puedo dar.

Quiero escuchar todo esto abajo del tren y no arriba.

Hay momentos en la vida donde ese tren debe parar, donde tienes que hacer todo lo posible por bajar de él para poder regresar con los tuyos.

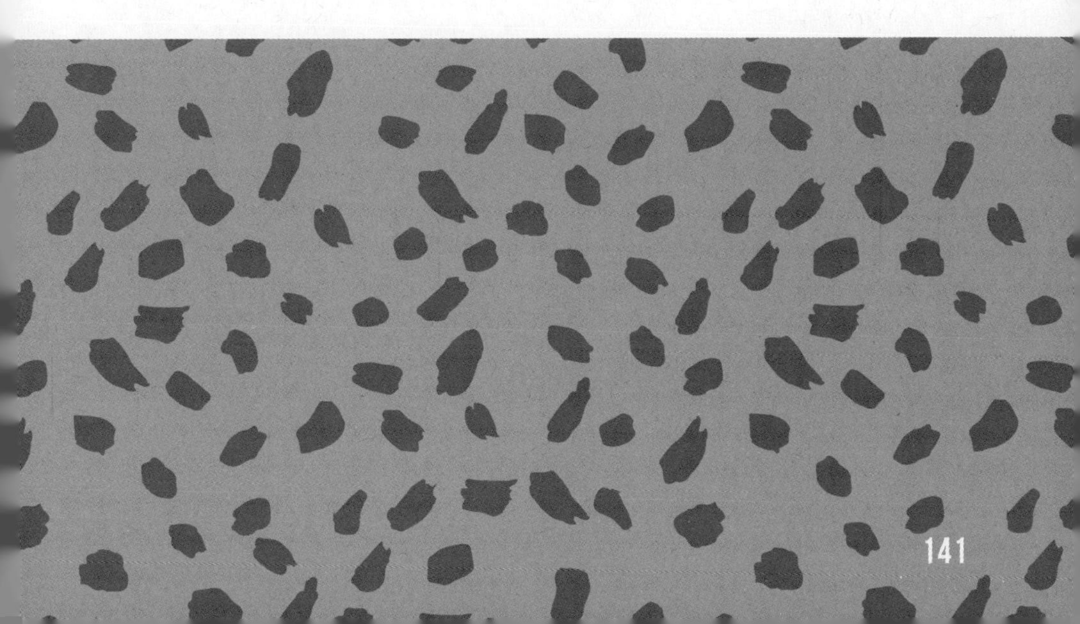

PERDEMOS MOMENTOS IMPORTANTES QUE NO VOLVERÁN

Muchas de las veces nos hacemos adictos a la velocidad de ese tren, nos engolosinamos con los éxitos, nos ciegan las ganas de tener más y nos olvidamos de las cosas simples que hacen los mejores momentos.

ESO QUE ESTÁS POR TENER SE IRÁ, ESO QUE YA TIENES SE QUEDARÁ CONTIGO.

Cómo hace falta hacer una pausa y deleitarnos con lo que ya tenemos, ¿no crees?

Ese tren descontrolado te puede alejar de la familia, de las personas especiales que necesitan de ti, de los amigos, de esos amigos que terminarán contigo el viaje de la vida en ese mismo café contando historias y jugando fichas, donde el único problema de la vida será ese compañero de juego que siempre hace trampa y te hará renegar mucho (creo que ese amigo tramposo seré yo).

MI MÁS GRANDE TEMOR ES TERMINAR LA VIDA CON COSAS Y NO CON PERSONAS.

Intercambiar cosas por personas es la decisión más tonta que podemos tomar. Las cosas existen, pero las personas están, son, y están vivas; tú y yo nos sentiremos vivos cuando estemos con personas.

Tengo que decirte esto para que tengas mucho cuidado: la fuerte velocidad del tren te hará perder personas. Nos perdemos momentos como los primeros pasos de nuestros hijos; ese primer momento donde brotó su primer diente; la celebración de los 80 años de la abuela (que te recuerdo que ya no los volverá a cumplir, no dejes de estar allí); y qué me dices cuando te perdiste la graduación de esa persona que tanto amas.

Un día me perdí la mejor final que mi equipo favorito ha jugado.

¡Detengan el tren!

LAS COSAS SIMPLES DE LA VIDA PARA DISFRUTAR SON GRATIS

REÍR CON AMIGOS

Nada se puede comparar a la increíble experiencia de estar con amigos y reír hasta que te duela el estómago. ¡Soy fan de esta experiencia! Ahora somos parte de una sociedad que solo exige, que solo reprocha y que solo discute.

Cuando estés con amigos verdaderos olvídate de los agravios y de las peleas, provócales risas, ríete de lo que ellos dicen, irrumpe la seriedad y la formalidad de ese restaurante donde todos los voltean a ver con el deseo de estar sentados ahí con ustedes, rían como si fuera el último día que se verán, dejen los reclamos para otro día, y si ese día nunca llega, mucho mejor, recuerden que la vida es una y que no hay otra más, que las heridas más profundas que el mundo nos hace se pueden sanar estando con la gente que tiene un motivo que darte para que tú rías.

CONTEMPLAR UN ATARDECER

Observar el sol meterse y decirnos ¡Nos vemos mañana! es algo que no hacemos por estar arriba de un tren descontrolado que solo tiene como fin llevarnos a un lugar, sin importar lo que vamos dejando en el camino. Toma el valor de sacar una silla y sentarte sin teléfono en mano para contemplar ese atardecer, solo tus ojos, tus sentidos y un sentido de agradecimiento a Dios serán tus compañeros en esta ocasión.

QUÉ DICHA PODER CONTEMPLAR AQUELLAS COSAS QUE NO TIENEN EXPLICACIÓN, QUE NO CABEN EN TU MANO, AQUELLAS QUE, SI TUVIERAS QUE PAGAR POR VERLAS, NO LE LLEGARÍAS AL PRECIO, Y SI FUERAN SOLO NUESTRAS NO TENDRÍAMOS DÓNDE GUARDARLAS PORQUE SON INFINITAS.

MOJARTE BAJO LA LLUVIA

Para mí la lluvia es un espectáculo, para otros un obstáculo. Para mí la lluvia es sinónimo de bendición, para otros es la razón por la que un partido de fútbol se tiene que suspender. Para muchos la lluvia arruina un viaje, para otros la lluvia es señal de que hay que parar y descansar.

¿Cuánto hace que no paras el coche y te bajas para que la lluvia caiga encima de ti? ¿Cuánto hace que no avientas el paraguas a un lado y decides caminar bajo esa lluvia que te quiere decir muchas cosas?

Algo de lo que más disfrutamos Lily y yo es caminar bajo la lluvia sin importar mojarnos, sin importar que la ropa y el peinado se arruinen. ¿Y qué crees?, también es gratis.

Arriba del tren solo *verás* la lluvia caer, pero debajo del tren *sentirás* la lluvia caer.

REÍRTE SOLO

El mundo está triste. Habrá días donde nadie tendrá ganas de reírse contigo, habrá quienes querrán meterte a su mundo negativo y serio. Es ahí donde tú debes decidir que, si nadie quiere ser tu cómplice de risas, nada te detendrá de tener ese momento de felicidad. Entonces, aunque el mundo crea que estás loco, tú reirás.

Hay momentos donde nos toca ser ese loco solitario que ríe, aunque los demás no lo hagan.

COCINAR

Me puedes decir que no sabes cocinar, pero de eso se trata, de intentar cosas nuevas que sean simples, como meterte ahí donde nunca te metes, sí, en la cocina (aunque si esta pudiera hablar diría que el desastre se acerca). Pero de eso se trata, porque es cuando más se disfruta lo nuevo. Soy un pésimo cocinero, no me gusta la cocina, pero hay momentos donde me dan ganas de intentarlo, y cuando lo he llegado a hacer lo disfruto tanto que hasta estilo le pongo. No lo hago bien, pero me divierto, salgo de la rutina y le hago pasar un mal momento a quienes se tienen que comer mi comida (tengo el arte de dejar dos huevos estrellados con la forma de la cara de Mickey Mouse).

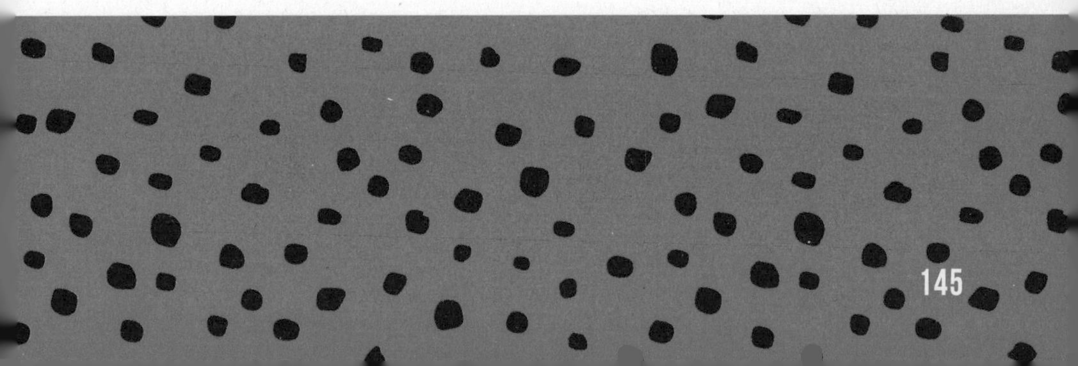

TOMAR TÉ EN UNA TARDE LLUVIOSA

¿Qué crees?, el té es barato y la lluvia es gratis. A veces las cosas menos costosas son las que nos regalan los mejores momentos, son las que nos dejan las más bellas experiencias, son las que nos dan la paz que necesitamos.

Mis momentos favoritos, y que no necesariamente son los que más hago, son cuando puedo estar ante un atardecer sentado en una cafetería a la orilla de la calle, en una banqueta rodeada de árboles con un libro en la mano y un café como compañero, que para ser sincero no leo el libro por estar contemplando la vida, o a las personas acompañadas de sus mascotas, o la pareja tímida que sabes que ese será el día que el chico se le declarará a la chica (¡suerte campeón!); también por ver pasar a aquella persona de rostro afligido ante el cual te nace el deseo sincero de decirle que todo va a estar bien.

¿Y el libro? Ese solo me hace ver intelectual.

Un té barato y una lluvia gratis me regalan cuadros irrepetibles. ¡Vale la pena bajarse del tren para hacer esto!

Sé que todo esto puede provocarte gritar ¡paren el tren, me quiero bajar! ¡Pues anda, vamos, grítalo, y bájate del tren!

¡PÁRENLE, ME QUIERO BAJAR!

Siempre decimos que la vida va muy rápido, pero esta te responde: *"tú eres quien va muy rápido, yo siempre voy en el mismo ritmo"*. Y es que hay momentos donde no sabemos ni a qué nos subimos.

Recuerdo un día que fuimos a la feria que llegaba a mi ciudad cada año, confieso que era lo único atractivo que nos visitaba en mi bella Ciudad Juárez. Dentro de la feria había una atracción que no sé cómo me pude atreverme a subir. Era ese juego donde te ponen en la pared de una rueda gigante, tú estás parado y pegado a esa pared sin sujetar. Aquello comenzó a girar despacio, tan despacio que empecé a pensar valientemente: "¡¿Eso es todo lo que da este juego?!". Pero de pronto, sin esperarlo y sin avisar, aquella rueda comenzó a girar a una velocidad tan fuerte que llegó un momento que quitaron el piso y la misma gravedad nos mantenía pegados a esa pared sin permitir que nos cayéramos. Ese grito valiente se convirtió en un grito de desesperación pidiendo ¡piedad! Solo recuerdo que gritaba: "¡Párenle, me quiero bajar! ¡Ya, por favor! ¡Párenle, me quiero bajar!". Obvio no me hicieron caso los desgraciados, y cuando estaba bajando del juego, la gente que hacía fila para subir se me quedaba viendo muy fijamente. En ese momento pensé: "¿Habrán reconocido que soy Gustavo Falcón?, ahorita no podría darles una foto". Lily y mis amigos solo me veían riéndose de mí. Mi esposa me dijo: "Qué te van a reconocer ni que nada, lo que pasa es que hay una pantalla acá abajo donde aparecías haciendo caras de terror y todos veían cuando gritabas: '¡Párenle, me quiero bajar!'".

Entendí entonces por qué todos me veían cuando bajé del juego, ¡qué vergüenza!

Hay momentos donde sentimos que nunca parará este juego de la vida por más que gritemos. Que no dejaremos de vivir esa racha donde parece que las cosas se ponen de acuerdo para que todo salga mal. Son tales esos tiempos que quisieras que todo fuera una broma de cámara escondida solo para ver cómo reaccionábamos. Pero sea lo que sea, lo único que sale de ti ante la vorágine es gritar: *¡Ya por favor! ¡Párenle, me quiero bajar!* Así pareces, cual juego de feria, esa sensación como si de pronto te quitaran el piso y sientes que el vacío te traga, y no donde no hay nada de donde agarrarte porque todo es inestable e incierto, y la velocidad de las acciones no te permite sostener con firmeza lo que es valioso y solo puedes medio sujetar lo superficial. Gritas y gritas sin que nadie te escuche, todos piensan que estás bien, te admiran, desean estar en tu lugar y ser ellos quienes van en ese tren, desean ser ellos quienes están arriba del juego porque solo te ven gritar y creen que lo estás haciendo de alegría, ¡pero no escuchan que estás gritando de desesperación! Es terrible la sensación de estar rodeado de gente mientras gritas y que ellos no te escuchen. Nadie quiere parar el juego, creen que te estás divirtiendo.

Pero no tengas pena ni tengas miedo de gritar *¡Párenle, me quiero bajar!*, sigue gritando fuerte, alguien te escuchará. Y una vez que te bajes, ve corriendo en busca de las cosas simples y valiosas.

Aquellos momentos donde en algún lugar te encuentras solo y al escuchar el bullicio de la gente te provoca ansiedad, y lo único que quieres es irte inmediatamente, es síntoma de algo. Es hora de bajarse del tren, porque solo así tendrás paz nuevamente.

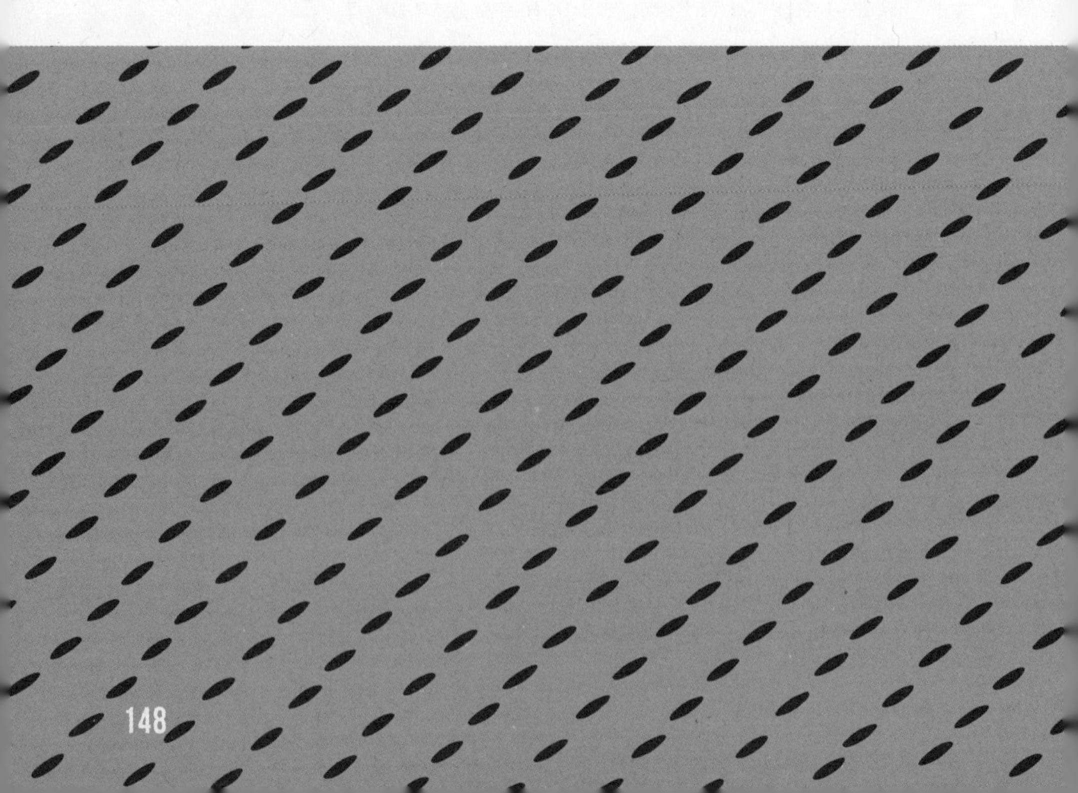

HAZ UNA LISTA DE LAS COSAS QUE TE HUBIERAN GUSTADO HABER HECHO Y NO HICISTE ANTES DE SUBIRTE A ESE TREN

Ve rápidamente y compra esa mascota que siempre has querido y que no lo hiciste porque rompía los sillones.

Tal vez dejaste la oportunidad de tener la experiencia de estar con un ser vivo por ocuparte en algo que no tiene vida, que no siente.

Cómprate esos patines que siempre quisiste y aprende a patinar.

Intenta aquello que siempre quisiste. Anda, ve por eso y más.

Yo estoy por comprarme una patineta y aprender a andar en ella. Es más, terminando de escribir iré a comprarme una; si tú te animas a comprar la tuya me escribes un tuit para ponernos de acuerdo e irnos juntos a darnos en la torre.

La gente hace una lista de cosas para hacer después de que le detectan una enfermedad terminal. ¿Por qué no hacer esa lista ahora que estamos sanos?

Pero, ¡hey, escúchame!, bueno, léeme: ve con esa chica y dile que te gusta antes de que otro lo haga, dile que es la persona con la que te ves tomando un café y diciéndole que la fortuna les ha llegado a los dos. Si te dice que no, agarra tu fortuna y ve e inténtalo en otro lado, pero hazlo.

Inscríbete en ese maratón, aunque nunca hayas corrido en tu vida, te prometo que llegarás a la meta, en la ambulancia, pero llegarás y te darán tu medalla por pura misericordia, para que el día de mañana cuentes tu propia historia sobre esa medalla.

¡Vamos, hombre!

Haz ese viaje con solo una mochila, llega al mostrador del aeropuerto y cuando la señorita te diga: *"¿A dónde viaja?"*, tú dile: ***"A donde usted decida, sí, deme un boleto al destino que usted piense más"***. Solo ten cuidado de que no te mande a la ciudad donde vive tu suegra.

Te estoy mencionando algunas cosas que yo he tenido ganas de hacer alguna vez, sé que tu lista puede ser muy diferente a está.

VALORA TUS PADRES SI LOS TIENES

Parar el tren para valorar a tus padres y honrarlos si todavía los tienes es lo más sabio que podemos hacer. Nunca eres demasiado grande para dejar de ser ese niño que necesita a mamá y papá. Nunca un *"Te amo"* de papá y mamá sonará igual en los labios de otras personas. Yo llamo a papá porque él siempre me responde el teléfono diciéndome: "¿Cómo está mi rey? ¿Cómo está el pedazo de mi vida?". Muchas veces solo llamo para escuchar eso. Me gusta, me hace sentir lo máximo. Cuando llamo a mamá ella me dice: "¿Cómo está mi flaco hermoso?". Ese "mi flaco hermoso" en los labios de mamá me hace sentir una caricia como cuando era niño y tenía miedo y solo bastaba que mamá me dijera: "Aquí estoy contigo, mi flaco hermoso".

Detener el tren para bajarte y escuchar esto vale la pena ante los éxitos que dejes ir.

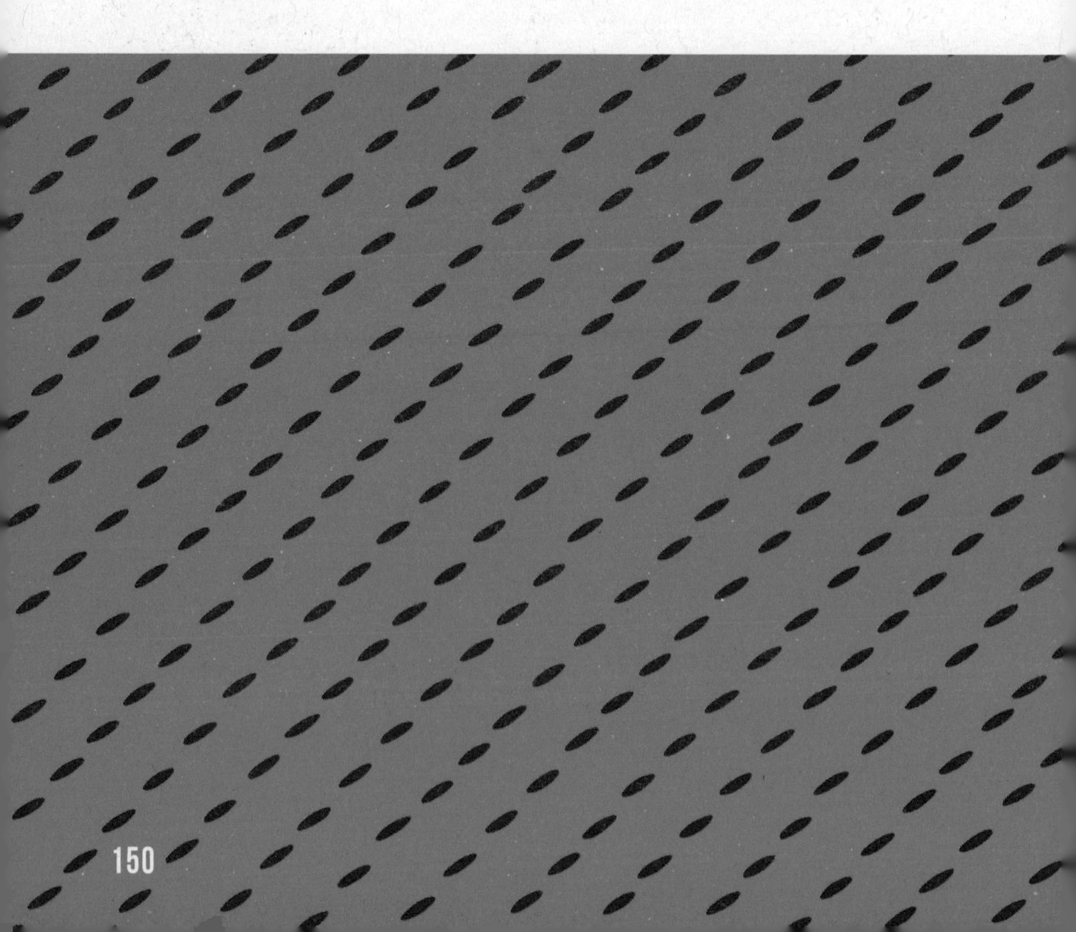

UN PRESENTE LLENO DE UN FUTURO PELIGROSO

No hay nada más peligroso que estar en todos lados menos en el presente. De tanto soñar y visionar escapamos del presente aun sin saberlo. Visionamos tanto hacia el futuro que nos gustaría adelantar el tiempo para vivir eso que estamos viendo con nuestra imaginación, pero se nos olvida que cuando estemos ahí es porque el tiempo ya pasó y muchas cosas tendrán que suceder en el camino. Ese perro que tanto amas ya no estará, ese mejor amigo del presente no podrá ir contigo al próximo logro, tus papás tendrán más años, más canas, más dolencias o quizá ya no estarán.

No intentemos adelantar procesos porque el tren se encargará de ponerte ahí en el tiempo que debe ser. Los acontecimientos tienen su lugar y su momento, no intentes manipularlos, déjalos fluir, déjalos hacer su juego; mientras tanto, tú celebra que estás vivo, explotando tu alegría, explotando tu creatividad, leyendo el libro que quieres leer no el que te hace ver más intelectual, cantando la canción que te llega al alma y no la que te hace ver más culto, viendo el deporte que te hace vibrar y no el que te hace ver fino.

El tren siempre deja pueblos a su paso por conocer, deja atrás gratas experiencias por vivir y gente valiosa por conocer. Pasaste por ahí solamente, pero no paraste a vivir la experiencia.

Hay momentos donde no quiero viajar en avión, no quiero llegar en una hora, quiero recorrer la carretera por diez horas porque no siempre se trata de llegar sino de contemplar el paisaje que pasa frente a nosotros mientras avanzamos, y conectar destinos en los pueblos más olvidados con personas que de pronto tienen que aparecer en nuestra vida.

Cuando buscamos realizar nuestros sueños nos alejamos tanto de las personas que amamos, y cuando por fin los realizamos, damos todo lo realizado por acortar esas distancias llenas de kilómetros que nos alejaron tanto, aunque estemos tan cerca de ellos.

DEJEMOS DE ECHARLE LA CULPA AL TREN

El tren no tiene la culpa, este solo pasó por donde tú estabas, tú te subiste por decisión propia buscando algo que te llenara y que te hiciera sentir importante en la vida, y ahí comenzó el viaje sin freno.

Deja de echarle la culpa a la vida, ella está de tu lado (me lo dijo), nuestras decisiones son las que nos ponen circunstancias en nuestra contra. Pero la vida está a tu favor, y el hecho de que un día terminará no significa que no esté de tu lado.

Ser personas que solo repartimos culpas por ir en un tren a toda velocidad nos hace ser personas infelices.

Culpar a los demás nunca te permitirá madurar en las áreas importantes que necesitas hacerlo.

Culpar a los demás no te permitirá crecer, porque todo error que cometemos nos hace crecer, por más doloroso que sea.

Culpar a los demás no te permitirá hacerte responsable, y la responsabilidad habla de que estás listo para grandes cosas.

Culpar a los demás te pondrá automáticamente en la posición de los cobardes, la cobardía no es la mejor carta de presentación para poder ir a una nueva promoción.

Culpar a los demás te hace estar siempre peleado con todo mundo. ¿Sabes por qué?, porque todos tienen la culpa, menos tú.

Culpar a los demás te convierte en una víctima siempre, y las víctimas caen muy mal, son insoportables. No seas uno de ellos.

El levantar la voz diciendo: la culpa es mía por no saber detener este tren cuando debía, te pondrá en la zona de posibilidades de poder recuperar algunas cosas o algunas personas que perdiste en el camino.

¡Atención!, dije "posibilidades" y "algunas", no te puedo asegurar nada, estas páginas tratan precisamente sobre eso, la realidad.

No importa cuántas representaciones lleve esa puesta en escena, cuánto éxito tenga esa obra teatral o cuántos aplausos reciba, lo cierto es que el actor te podrá platicar detrás del telón que está cansado.

Ese famoso y exitoso actor desea muy dentro de sí detener el tren, ir detrás del telón, tomar sus cosas, dejar el vestuario glamuroso para ponerse sus simples ropas y salir del teatro a caminar por esa avenida llena de luces y de simpleza, y entrar en el primer café que se encuentre y sentarse sin prisas, sin presiones, sin exigencias, sin estar en movimiento.

El público siempre te presionará, siempre te exigirá, y no importa cuántas miles de noches lo hiciste bien, por una sola noche donde tuviste una mala actuación te abuchearán. Lo mismo pasa en la puesta en escena de tu vida.

Siempre pasará por la mente del actor el retiro, pero no significa que se va retirar, solo está cansado. Muchas de las veces necesitamos bajar del tren para descansar. Déjame citar las palabras del famoso actor Johnny Depp:

"Desearía de inmediato hacer maletas, tomar a mi esposa y a mis hijos que tengo tanto sin verlos por estar siempre filmando, y tocar tierra".

La fama y el escrutinio parecen haber cansado a este actor profesional.

De vez en cuando hay que bajarse del bullicio (de los buenos o malos comentarios), de los aplausos (de los elogios), del lleno total (de los logros), de las fotografías (del mundo virtual) y vivir, sí, solo vivir.

Dejemos de ser prisioneros de nuestros propios sueños.

Dejemos de ser prisioneros de nuestros propios planes.

Dejemos de ser prisioneros de nuestros propios logros.

Soñar, planear, y lograr deben ser sinónimos de libertad y no de cautiverio. Tomar la decisión de hacer una pausa en el camino nos ayudará a recobrar fuerzas, aliento y creatividad.

No tengamos miedo de detener el tren.

No tengamos miedo de ser criticados por hacerlo.

No tengamos miedo de que ese tren no regrese.

No pensemos que detener el tren es terminar nuestra carrera por la vida para siempre, al contrario, tengamos en mente que detener el tren es hacer la pausa perfecta para regresar con más fuerzas, pero ahora más maduros y con mejores decisiones.

Qué agradable será levantarte una mañana sin estar en movimiento, rodeado de todas las cosas y de todas las personas que valen la pena. Despertar una mañana con una agenda de cosas simples por hacer y por vivir. Una mañana descubriendo que en el patio de tu casa hay un árbol hermoso que siempre había estado ahí pero que no habías visto.

CAPÍTULO 7

LA PRUEBA

Pequeñas derrotas también suman para llevarte a grandes victorias.

Antes de estar en el teatro más emblemático del mundo, recibiendo aplausos por un público conocedor del arte escénico, hay que estar primero en un aula recibiendo críticas por esos severos maestros que pondrán a prueba tus conocimientos.

Quién no recuerda un salón de clases con un pupitre, tú sentado ahí, el pizarrón como testigo mirándote y diciéndote: *"no sabes lo que te espera"*, y de pronto ves entrar al maestro con una hoja en la mano diciendo: "Hoy tenemos prueba".

Creo que era lo peor que podía sucedernos en esos años.

Sé que en este mismo momento estás teniendo un ***flashback*** muy claro que hasta nervioso te pones de solo de recordarlo, casi tiras el café que estás tomado.

Espero no sobresaltar a nadie de los que estén a tu lado con lo que voy a gritar, pero ¡¡¡creo que a nadie nos gustan las pruebas!!!

Si tú eres ***nerd***, puede que a ti sí te gusten, pero la realidad es que a la mayoría no nos gustan.

Tener una prueba era algo que nos aterrorizaba, pensábamos que el maestro era malo y que nos odiaba, o que la escuela era mala y desdichada por ponernos pruebas.

En mi época de estudiante yo deseaba tanto una escuela donde no hubiera exámenes, era mi gran sueño de niño, es más, creo que primero llegué a soñar con una escuela sin pruebas antes que soñar ir a Disney. Hasta llegué a investigar en la escuela de Harry Potter para entrar ahí, pero me dijeron que también ahí ponían pruebas y solo pensé dentro de mí *"estoy perdido"*.

Cuando el profesor venía a mí para poner el examen en la mano, yo solo comenzaba a idear qué le iba a decir a mis papás por haber reprobado.

ASÍ COMO EN LA *ESCUELA*, EN LA VIDA TAMBIÉN TENDREMOS PRUEBAS

Todos quisiéramos una vida sin dolor, sin heridas, sin que nos rompan el corazón, una vida sin dificultades, ni obstáculos, pero lamento decirte que, así como en la escuela, en la vida también tendremos pruebas por las que hay que pasar y que superar para no vivir reprobados, y siempre en el mismo nivel de vida.

Las risas se ausentan tras el anuncio de que las pruebas han llegado y que debemos hacer todo por aprobar. No hay excepción de personas cuando se trata de las pruebas en la vida, aquí nadie exentará, aquí no cuentan los años vividos ni la experiencia que podamos tener, cuando llega el momento de enfrentarlas lo único que tenemos que pensar es en que debemos cruzar del otro lado.

Te encuentras en ese barco en altamar, donde todo comienza a descomponerse, la tormenta se desata, tu barco se mueve para todos lados sin control y solo piensas que el fin ha llegado.

NUNCA TE DES POR VENCIDO ANTES DE TIEMPO, LO PRIMERO QUE TIENE QUE VENIR A TU MENTE EN MEDIO DE ESA TORMENTA ES: "PASARÉ AL OTRO LADO".

FALCONSEJO

El pensamiento principal que nos asalta ante la prueba es: *"De esta no saldré, no pasaré, estoy perdido"*, pero debes tener la fe de que mientras estés vivo, hay esperanza.

En cada prueba que hacía en la escuela siempre tenía la esperanza de que un milagro pudiera suceder. En donde ni la esperanza me animaba era en la prueba de matemáticas. ¡Dios mío!

Pero en la vida, siempre hay manera de pasar del otro lado.

De pronto pensamos que la vida nos odia por ponernos pruebas, así como creíamos que el profesor nos odiaba por llegar con una hoja en la mano llena de preguntas justo para ti y que todavía te pedía que la personalizaras poniendo tu nombre. Y así como pensábamos que la escuela era un campo de tortura, seguimos creyendo que la vida también los es. Pero debemos dejar de pensar así y triturar de una vez por todas ese pensamiento de que la vida es mala, para comenzar a pensar que la vida es para gozarla, para abrazarla.

La vida se disfruta.

Necesitaba hablar de este tema en el libro para dejarte este

ES SOLO UNA PRUEBA, NO ES EL FIN DE TU VIDA.

Cuando yo reprobaba un examen en la escuela, de tan solo pensar que tenía que decirle a papá que no pasé sentía que mi vida estaba llegando a su fin. Ahora de grande pienso: *"¡Hombre!, era solo una prueba"*.

Es tan común pensar que, así como la escuela era mala, el profesor era malo y la directora también. Solemos entonces pensar que la vida es mala. Sin embargo, estoy convencido de que en este instante tu manera de pensar cambiará al respecto. Nadie nació en esta maravillosa vida con la garantía de que no tendría problemas. Nadie ha recibido un certificado que diga: *"Le prometemos que usted no tendrá problemas en la vida. Cualquier queja o aclaración llame al 01-800ceroproblemas y con gusto lo atenderemos"*.

SÉ LO QUE TODOS QUISIÉRAMOS; YO TAMBIÉN *QUISIERA*.

Quisiéramos una vida perfecta. Nacer, triunfar y nunca morir.

Quisiéramos no enfermarnos. Ser inmunes a todo y que nuestro cuerpo nunca se deteriore.

Quisiéramos que nuestros hijos fueran perfectos. Que nunca sufran, que nunca lloren, que nunca pasen por la etapa de la rebeldía y que sean distinguidos profesionistas.

Quisiéramos no tener deudas. Tener, gastar y que nunca se acabe el dinero.

Quisiéramos no tener problemas con los familiares. Que todos piensen como yo, que tengan los mismos gustos que yo, que me respeten y hagan lo que yo digo.

Quisiéramos que el divorcio no existiera. Nadie se casa pensando en fracasar (sería genial que nunca ocurriera); pero si llega a ocurrir, solo piensa que la vida no termina ahí (mi mamá sigue viva, feliz y soñadora).

Quisiéramos nunca tener pérdidas. Todos queremos ganar, todos queremos multiplicar, pero tendríamos que tener en la mente que en muchos de los casos para ganar hay que perder primero, no le tengas miedo a este principio.

Quisiéramos nunca tener un fracaso. Nos aterroriza el hecho de invertir tanto en algo o en alguien y que al final las cosas no salgan como las queremos, y lo primero que pensamos es qué va a decir la gente de mi fracaso.

Quisiéramos que nunca se nos cayera el pelo. Bueno, aquí es solo voltear a ver a tu tío pelón para darte cuenta que tú puedes ser el próximo (no tengo más que decir aquí).

Quisiéramos que nada le pase a la gente que amamos. Lo daríamos todo porque fueran felices para siempre y que nada de las cosas que hacen daño los tocara.

Quisiéramos que nuestro equipo de fútbol siempre ganara campeonatos. Esto es imposible y más si tú eres hincha del Barcelona.

Quisiéramos que Jack nunca hubiera muerto en *Titanic*. Nos hubiéramos ahorrado muchas lágrimas y la pena de que todos nos vieran llorar en la sala de cine.

Quisiéramos que al final de la película *La La Land* se hubieran quedado juntos para siempre los protagonistas. Todos los que somos cursis románticos hubiéramos salido de esa sala de cine muy satisfechos.

Quisiéramos que la pila del celular nunca se nos terminara (creo que esto nos haría más felices que todo lo anterior).

Pero no siempre será lo que queremos. Muchas veces será lo que debe ser; muchas de las veces será enfrentarnos con una realidad que nos desafiará a darlo todo por aquello que *queremos*. ¡Luchar por lo que queremos ya nos hace ganadores, aunque al final no lo consigamos!

Dejemos de ser tan caprichosos y aceptemos de una vez por todas que periódicamente vendrán las pruebas a tocar a nuestra aula después de un rico y relajante receso.

Sé que esto nos aterroriza en momentos, pero aquí entra otro

TRABAJA PARA IRLE PERDIENDO EL MIEDO A LAS PRUEBAS, ESO TE HARÁ MÁS LIGERA LA VIDA.

Los nuevos viajes por emprender te exigen antes una prueba para ver si estás listo para esa nueva aventura, aquí la prueba está jugando a tu favor y no en contra.

Si estás pensando en emprender algo nuevo, sin duda alguna necesitarás ser probado para ver si estás en óptimas condiciones de volar hacia el futuro que un día construiste en tu mente. Recuerda que la mente es un simulador, donde la vida es la realidad. Preparémonos para emprender el vuelo sobre ella.

Muchos ven venir las pruebas en la vida y rápidamente piensan como yo lo hacía en la escuela: "¡Estoy perdido!". Pero de ahora en adelante, cada vez que veas venir una prueba ya no sentirás que estás perdido, ahora podrás afirmar: *"¡Estoy aprendiendo!"*.

Está analogía de la escuela con la vida me gusta tanto porque ambas están saturadas de elementos muy similares, y uno de esos elementos que me llaman la atención es que, así como en la escuela te ***gradúas***, en la vida también pasa, periódicamente nos estamos graduando del algo para empezar otra cosa, y al final de la vida estar rodeados con esos nietos que se sentarán a escuchar de nuestras canas experimentadas y graduadas.

Aquí quiero animarte, hacerte sentir como cuando en la secundaria te anunciaba la prefecta: "Chicos, el maestro Juvenal tuvo un accidente y no podrá llegar a poner su prueba"; y tú gritabas de alegría junto con tus compañeros, aunque después todos deseaban que no fuera algo grave. Al menos así pensaba yo cuando llegaba esta buena noticia a mi salón de clases, hacía como una especie de oración: "Gracias Dios por permitir que el maestro Juvenal se accidentara; tú sabías que yo no estaba listo para esta prueba. Ahora que me has librado te pido que esté bien, que no sea nada grave, que su seguro pague para que él no tenga que hacer ningún gasto, y sin que me lo tomes como un abuso, por último, te quiero pedir que su recuperación tarde de 4 a 5 meses, amén". (¡Ups! ¡Perdón!, solo era un adolescente al que no le gustaban las pruebas).

¡Anímate!

Las aflicciones nunca se van a terminar y todos estamos expuestos a ellas. Es decir, no eres el único que pasa por tales pruebas, y no serán las únicas que experimentarás.

"¿En qué parte de esto que acabas de decir está el ánimo, Gustavo?", debes estarte preguntando ahora mismo. Pensar que somos los únicos que pasamos por problemas nos crea una especie de superstición, pensamientos de que la mala suerte siempre nos acompaña y que los problemas solo te persiguen a ti. Puede ser algo que te desanime constantemente, pero debes saber que es de lo más normal, que a todos nos pasa. Estate tranquilo, ¡digo!

Todavía recuerdo cuando la maestra decía al dar las calificaciones: "Falcón, tiene 5 en matemáticas", y lo primero que yo pensaba era en qué le iba a decir a mamá y a papá. Cuando la maestra mencionaba la calificación de mi mejor amigo, diciendo que también tenía un 5 y que estaba reprobado, eso me llenaba de paz porque ahora sí sabía qué le iba a decir a mis papás. Entonces llegaba a la casa y les decía: "Papá... mamá, les tengo una buena noticia y una mala; la mala es que reprobé matemáticas con 5". Y mi mamá me interrumpía: "¿La buena es que te darán otra oportunidad de presentar?". Y yo: "No, la buena es que también mi amigo Aarón reprobó y con 5". A lo que papá exclamaba: "Y ahora para saber quién le copió a quién".

Sé que muchos creen que pensar así es "consuelo de tontos". Puede ser. Pero de inicio te ayudará mucho saber que no eres el único en tus desazones, y que la pena que anda en el aire no solo te está buscando a ti. Relájate y sigue actuando, que la escena no ha terminado.

Necesito que aceptes ahora que pasar por pruebas es lo más normal del mundo. Que tengas la fe y el pensamiento de que todo pasará y las cosas volverán a la normalidad.

Si alguien ya ha vencido esto no tengo yo por qué no hacerlo. ¡Ánimo!

Nuestra actitud debe cambiar ante las pruebas, porque esto determinará cómo saldremos de ello. Una actitud de víctima no cambiará nada, solo dará lástima, mucho menos una actitud de queja traerá fin a la situación, solo hará más grande cada vez la posibilidad de quedar amargado al final de todo.

Las quejas son como hacer un resumen de nuestras tragedias repitiéndolas una y otra vez, y son tantas las veces que las repetimos que terminamos por creernos todo, magnificando así su capacidad de destruirnos, dándole a las pruebas más poder del que deben tener.

NO SE TRATA DE NO TENER PRUEBAS EN LA VIDA, SINO DE PASAR POR ELLAS CON LA ACTITUD CORRECTA.

Tendríamos que considerarnos muy dichosos cuando tengamos que enfrentarnos con diversas pruebas, porque eso significa que una graduación a algo mejor de lo que estamos viviendo está por llegar. Y *dichoso* significa sentirse plenamente satisfecho, y el sinónimo de satisfecho es *feliz*. Aprendamos a ser felices en medio de las pruebas, es lo mejor que podemos conseguir. Esa es la actitud correcta, donde ríes en vez de llorar, donde das gracias en vez de reprochar, donde cantas en vez de callar, donde levantas tus manos al cielo en vez de manotear desesperado, donde decides que la felicidad es una decisión y no un destino.

Pido un aplauso a esas personas que ante las pruebas pueden hacer una gran lista de motivos de alegría a pesar de ellas.

Pasar las pruebas de una forma más sencilla es enfocándonos en esos motivos de alegría que nos tendrían que mantener ocupados, disfrutando de ellos mientras los días malos pasan.

Las pruebas son necesarias y no deben de interponerse a nuestros motivos de alegrías.

Si logramos enfriar nuestra mente descubriremos que hay más motivos buenos en nuestra vida para alegrarnos, que pruebas para afligirnos.

Te aseguro que hay muchas cosas buenas sucediendo a nuestro alrededor que no podemos ver, así que ahora mismo te hago esta pregunta: ¿En dónde está tu enfoque? Tendríamos que cambiar de lentes para comenzar a ver lo que en verdad vale la pena hasta este momento. No se trata de ignorar la prueba, por supuesto que no, hay que enfrentarla y darle su lugar, pero sin perder la alegría que otras cosas nos pueden dar. Enfocarte en los motivos de alegría hará que se sienta más ligera la prueba de ese día.

De pronto encontrarnos en valles tenebrosos no significa que ahí terminarán nuestros días. Interpretemos que andar por valles tenebrosos es como el entrenamiento de élite para estar preparados para esos futuros inciertos.

LA VIDA DETRÁS DEL TELÓN

Los peores valles por los que yo considero que he pasado me han dejado las mejores enseñanzas.

Pasar por valles tenebrosos es pensar que es un precio que debemos pagar por un aprendizaje, donde verás al final que el costo no fue tanto ante el valor de las grandes lecciones de vida.

Las mejores lecciones de vida las encontramos en el valle tenebroso, sé de lo que estoy hablando.

Sería genial que lo siguiente lo escribieras en una pancarta y la pegaras en el techo de tu recámara para que la puedas leer todos los días al acostarte y al levantarte: ¡Podemos cruzar lugares peligrosos y salir vivos de ahí!

Tendríamos que tener cuidado de no paralizarnos ante las pruebas y no seguir caminando, porque lo peor que podemos hacer es detenernos, huir de ellas para no enfrentarlas o quedarnos quietos para ver si así se van de nosotros. En los momentos en lo que pasamos por procesos difíciles es la hora de demostrarle al mundo que estamos vivos, que pensamos, que avanzamos y que nada nos hará quedarnos estáticos, sino todo lo contrario, que nos moveremos más fuerte, viviremos más intenso, gritaremos más alto y soñaremos más en grande.

No puedes quedarte quieto en una puesta en escena, aunque el guion se te haya olvidado o estés teniendo la noche más desastrosa que jamás has vivido. Tú debes seguirte moviendo sobre el escenario, debes seguir hablando, y lo más importante, debes seguir *actuando*; no te quedes estático en el escenario de la vida, detrás del telón se puede, pero en el escenario *nunca*.

¡Improvisa!

Seamos inteligentes y saquemos provecho de la prueba y no permitamos que este desgaste las pocas fuerzas que aún nos quedan.

LA PRUEBA NOS TRANSFORMA MÁS Y MÁS HACIENDO UNA MEJOR VERSIÓN DE NOSOTROS MISMOS.

Hacer que las pruebas saquen lo mejor de nosotros yo le llamo *aprovecharnos de ellas*. Permitamos que hagan su efecto por más doloroso que sea, confiando que al final estaremos alegres y celebrando una victoria más.

Es la prueba la oportunidad para formar carácter, porque sin carácter en la vida toda gran victoria dura poco.

Sin carácter en la vida no sabremos cómo valorar a las personas.

Sin carácter en la vida cualquier pequeño problema nos destruirá.

Sin carácter perderemos fácilmente las cosas que con tanto esfuerzo hemos ganado.

Sin carácter perderás el amor de tu vida por algo pasajero.

Después de un tiempo y de pasar por varias pruebas, personas que tenían años sin verte te dirán que has cambiado mucho, que ya no eres el mismo, que te ven siendo mucho mejor de lo que eras. Porque la prueba te demuestra lo que has aprendido; te permite hacer una evaluación personal y darte cuenta dónde estás, para qué estás listo y qué habilidades son las que necesitas para emprender cosas nuevas.

Una de las maneras de saber si estamos listos para nuestra próxima promoción es a través de la prueba.

HASTA QUE NO SEAS PROBADO NO SABRÁS REALMENTE LO QUE SABES

Habrá momentos en la vida donde te darás cuenta que no sabes nada, y no es para desanimarte, sino para darte cuenta de que has dejado ir algunos años de tu vida entretenido en otras cosas, que has dejado de aprender aquello que tiene un gran valor y que es necesario para seguir creciendo.

Tú mismo te sorprenderás de lo que ahora eres capaz de hacer y de lograr. Llegará ese momento raro donde te darás cuenta que sabes más de lo que pensabas. Hay momentos de prueba tan fuertes en la vida que no nos queda otra que pensar que estás siendo parte de un curso intensivo que te tiene que dejar aprendizajes, cosas buenas.

LAS PRUEBAS SON OPORTUNIDADES PARA DEMOSTRAR NUESTRA *MADUREZ* Y NUESTRO *POTENCIAL*

La prueba siempre está pensada para hacernos madurar, para llevarnos a tener crecimiento en distintas áreas de la vida; ayuda a que las personas sean productivas y que den resultados maduros de una vez por todas.

Una de las peores decisiones que podemos tomar en la vida es quedarnos como estamos y resignarnos a no madurar y seguir en la misma plataforma de madurez en la que hemos estado por mucho tiempo. No nos robemos el privilegio de madurar, de pensar más sólidamente. Esto te lo da esa etapa en que te encuentras con diversas pruebas y sales con la cabeza arriba de ellas.

Qué interesante es que las demás personas vean en ti ese crecimiento en diferentes áreas de tu vida y que tú puedas enseñarles con tu ejemplo cómo sacar provecho de las diversas pruebas, en vez de dejarte derrotar por ellas. Cuando sacas lo mejor de un proceso de prueba llegarás a tomar acertadamente serias decisiones, tendrás claridad y propósito, podrás responder adecuadamente cuando seas confrontado por fuertes adversidades, y no significa que te dejarán de doler los momentos difíciles, pero la gran diferencia ahora es que no te acobardarás tan fácilmente y estarás más tranquilo porque has aprendido que todo pasa.

Esta generación, tus hijos, los míos, están llamados a una constante madurez experimentando pruebas en sus vidas, y esa madurez les dirá que están listos para algo más porque ya se han graduado.

Hay un hermoso galardón que siempre está esperando por ti; pero antes de recibirlo debes pasar por esa incómoda prueba.

Cuántas veces sentimos que nuestra tranquilidad, que nuestra paz, está a miles de kilómetros de nosotros. Pero no se te olvide que nuestra tranquilidad y nuestra paz siempre está a la distancia de una oración.

Subе a ese nivel de madurez donde puedas decir:

"YO NO TENGO PROBLEMA CON TENER PROBLEMAS, SIEMPRE Y CUANDO SEA UN PROBLEMA NUEVO".

Vive confiado en que:

Si por la noche hay llanto,

por la mañana habrá gritos de alegría.

La prueba no me destruirá, la prueba me hará una mejor persona.

CAPÍTULO 8

LA DUDA

A veces tendrás que subirte a lo desconocido para que te lleve a lo que siempre has querido.

Esas pequeñas y débiles dudas que con el tiempo toman fuerza y que nos hacen sentir que estamos en un laberinto sin salida.

Esas dudas que tendrían que ser solo momentáneas, pero se hacen infinitas.

Dudas que convierten el terreno de la mente en una tortura.

Dudas que entre más intentamos ahuyentar de nosotros más nos abrazan.

Esas dudas que irrumpen el sueño de la noche para ponernos a pensar si todo volverá a la normalidad.

Dudas que nos hacen sentir que la fe y nosotros no nos llevaremos bien jamás.

Todos hemos tenido dudas en algún momento de nuestra vida, dudas que se convierten en nuestras compañeras silenciosas, que tarde que temprano nos susurrarán al oído palabras tales como *no sigas, no lo intentes, las cosas no van a cambiar, tú amas, pero esa persona no te ama a ti, no creas en las personas, todos mienten, Dios no te ama*... Y como estas vienen tantas otras palabras dichas por la duda, donde llega un momento en el cual nos abraza cierto sentido de culpabilidad.

Dudar no es malo, solo nos avisa que somos humanos, nos avisa que somos personas pensantes con la capacidad de tomar decisiones; aquel que diga que nunca ha dudado acerca de su fe, acerca de su futuro, acerca de las personas o acerca de la vida, tiene que tomarse una foto conmigo y darme un autógrafo por que debe ser un ángel.

Muchos viven torturados por sus dudas, sintiéndose malas personas por dudar, sintiéndose malos hijos, malos padres, pensando que son desechados de las grandes oportunidades por ser personas con ciertas inseguridades en la vida.

Deja de castigarte severamente por esto, que en un momento más lo resolveremos juntos usando la duda a nuestro favor.

LA GENTE AHOGA SUS DUDAS POR EL TEMOR DE EXPRESARLAS

Nos aterra que los demás conozcan nuestros cuestionamientos, de que los demás interpreten nuestras dudas de forma equivocada, ese miedo de ser criticados y catalogados como inseguros y más cuando escuchamos decir: "Nadie se casa, trabaja, se asocia o quiere estar con un inseguro que siempre tiene preguntas".

Las personas más sabias de la historia son las que se hicieron preguntas a sí mismos y a los demás.

Debemos romper este prejuicio y comenzar a expresar nuestras dudas, ser libres y gritarlas, porque hacerlo nos puede llevar a tener las respuestas que necesitamos. Aristóteles dijo: "El ignorante afirma, pero el sabio duda, reflexiona y pregunta". Nunca guardes tus preguntas, porque vivir toda la vida con nuestras preguntas guardadas es como guardar las respuestas que nos llevarían a ser las personas que siempre soñamos ser.

Graba muy bien esto en tu mente:

NO ERES LO QUE DUDAS, ERES LO QUE RESUELVES DE ESAS DUDAS.

Expresar nuestras dudas es encaminarnos en el proceso de resolver las cosas que pensamos para llegar a profundas convicciones.

NO NACEN FUERTES CONVICCIONES SI ANTES NO HUBO FUERTES DUDAS

Para ser personas admiradas por sus fuertes convicciones, primero debemos ser personas criticadas por sus fuertes dudas. Estamos ante una generación que tiene muchas preguntas y que están invadidos de estas, donde la única respuesta que están escuchando es: *"Porque sí"*, y se están ahogando en sus propias dudas porque no tienen quién les dé respuestas.

El hombre moderno ha aprendido a dudar, es propio de nuestro tiempo cuestionarlo todo. Así que no tengas miedo de pertenecer a una época donde ya no nos conformamos con un *"Porque sí"* o un *"Porque no"*.

Hoy se dice que estamos ante una generación llamada ***millennial***, pero yo la llamaría la ***generación de la duda***. Una generación juzgada por sus dudas, pero que no le ayudamos con respuestas correctas.

TAMBIÉN TENGO DUDAS

Una de las dudas más fuertes que vienen a mí es cuando me veo al espejo, ahí dudo de que soy mexicano porque veo mi cara y me digo: "¡Tú eres italiano!, ¡tienes todo el porte!". Le he preguntado a mamá una y otra vez: "¿Madre mía, de dónde soy realmente?". Y mamá me responde con lágrimas en sus ojos: "Gianluca (mi segundo nombre) no dudes, eres mexicano hijo mío". ¡Está bien!, ¡está bien!, no parezco italiano ni mi segundo nombre es Gianluca. ¿Ok? Vayamos a lo serio.

LA DUDA DETRÁS DEL TELÓN

Retomando la analogía de la vida y el teatro, cuántas veces nos encontramos detrás del telón metidos en un camerino llenos de dudas, pensando si las cosas saldrán bien allá afuera, preguntándonos si se irá a llenar el teatro o si tendremos por mucho tiempo este trabajo de salir a escena haciendo lo que más nos gusta.

En la vida salimos a escena todos los días con la imagen de ser personas seguras, sin preguntas y sin esas dudas vergonzosas, pero al hacer un recorrido por la vida detrás del telón descubrimos todo lo contrario, descubrimos que somos personas con crisis existenciales que resolver.

Con todo respeto digo esto, pero según lo que he leído, son los actores los que viven más crisis existenciales que cualquiera.

LA DUDA DESPUÉS DEL ÉXITO

¿Volverá a ocurrir otra vez?

¿Lo tendré que volver a intentar?

¿Será todavía mi tiempo o este fue el éxito antes de mi retiro?

Preguntas y más preguntas son las que llegan después de vivir un éxito, después de experimentar un logro, después de sentir satisfacción por lo que estamos obteniendo, después de un tiempo de esfuerzo y trabajo. Después de sentir satisfacción por lo conseguido enseguida vendrán dudas nuevas.

No te asustes por sentir esto, es normal cuando ya estás pensando en una aventura nueva que tiene que ver con desafíos.

LAS DUDAS MÁS COMUNES

Hay de dudas a dudas, y las que estoy por mencionar son de las más comunes cuando estamos detrás del telón, en ese camerino y reflexionando sobre nuestro futuro. Veamos estas cuatro plataformas.

DUDA 1

¿Tenemos la vida que queremos?

La traviesa duda de si estamos teniendo la vida que queremos o si nos estamos engañando a nosotros mismos, adaptándonos a una que no queremos, pero hacemos creer a los demás que somos felices.

No hay nada más terrible que vivir una vida pirata, ser quienes no somos realmente, intentar ser como alguien dejando de ser nosotros. Porque una cosa es inspirarnos en otra persona, pero otra muy diferente es ser un plagio de esa persona, ser esa copia barata de alguien que al final, en medio de nuestra soledad, reconocemos que estamos viviendo la vida de otros y no la nuestra. No hay cosa más peligrosa que ser aquello que otros quieren que seamos. Para esto, toma este

FALCONSEJO

CUANDO SE TRATE DE TU VIDA, ¡DI NO A LA PIRATERÍA! SÉ QUIEN TÚ QUIERAS SER, HAZ LO QUE A TI TE GUSTE, Y LOGRA LO QUE TÚ DESEAS. PORQUE EL ÚNICO PATROCINADOR DE TU VIDA ERES TÚ MISMO, TÚ PAGAS, TÚ DECIDES.

He pasado por etapas en la vida donde otros quieren que deje de ser quien soy para convertirme en ese producto que perderá mi esencia. A veces pasamos por temporadas donde tratamos de darle gusto a todos dejando de ser esa persona única que somos. Pero hay una pregunta que en momentos así puede regresarnos al lugar donde debemos estar:

¿Tengo la vida que quiero?

Nunca dejes de hacerte esta pregunta.

DUDA 2

¿Estamos en el lugar correcto?

Todos buscamos estar en el tiempo y lugar correctos porque eso nos da la seguridad de conquistar nuestros sueños. Qué peligroso es estar en el lugar donde no tendrías que estar. Debe ser muy incómodo estar en ese lugar al que no perteneces pero que te hace sentir bien por un tiempo, hasta que reconoces que vives engañado.

Siempre será bueno preguntarnos si estamos en el lugar correcto. Si la respuesta es no, emprende el vuelo en busca del lugar donde quieres estar. Yo siempre soy feliz porque nunca he dejado que nadie decida donde quiero estar, por eso se me han quedado muchas personas en el camino o por eso yo me le he quedado a mucha gente en el camino.

DUDA 3

¿Estamos con las personas correctas?

No queremos equivocarnos porque sabemos que el tiempo es muy corto como para estar con las personas incorrectas. Siempre buscamos esa compañía que nos hace sentir bien, que nos valora y que nos cuida. Cuando hay ausencia de esto comenzamos a dudar y es entonces ese el momento justo cuando esas personas dan señales que son las personas correctas, y eso nos lleva a sentirnos mal por haber dudado.

Pero esta historia se volverá a repetir una y otra vez. Así que no te sientas mal por haber dudado, mejor siéntete bien por haber confirmado que esas eran las personas con quienes debes estar. Muchas veces esa duda de si estás con las personas correctas te llevará a confirmar que no lo estás, y tendrás que tomar decisiones que te dolerán pero que te harán tomar un viaje nuevo que te llevará con las personas que debes estar.

DUDA 4

¿Me casaré con la persona ideal?

En el camino del noviazgo es tan común que vengan dudas de si estamos con la persona correcta. Esto pasa porque las parejas se están conociendo y todos los días se manifiestan cosas nuevas de su personalidad, unas nos enamoran y otras nos hacen dudar.

No tomes tan a pecho esta etapa, que no te mortifique. Pero sí ocúpate en tener respuestas muy claras que le pongan fin a esas dudas.

Muchas de nuestras dudas nos pueden rescatar de una vida superficial, para llevarnos a encontrar una vida genuina que nos dé días de alegría de ser quienes somos.

Las dudas no ayudarán a abandonar la vida superficial, esa vida que solo se ve delante del telón, donde todos creen, todos piensan y todos viven engañados de que eres esa persona que aparentas ser, pero no eres.

Me gusta tanto esta frase que, por cierto, la estoy mandando por *Twitter*:

LAS DUDAS PUEDEN RESCATARNOS DE UNA VIDA SUPERFICIAL PARA LLEVARNOS A LO GENUINO.

Hay dudas que no se disipan con argumentos, con clases filosóficas o con teorías baratas. Muchas de las dudas por las que pasamos se disipan a través de experiencias personales. Hasta que vivamos en carne propia las cosas encontraremos respuestas, respuestas que nadie tiene, y que si otra persona te las da no las creerás porque muy en el fondo de ti las quieres encontrar por ti mismo. No quieres que nadie te cuente, quieres ser tú mismo quien pueda palpar sucesos que se convertirán con el tiempo en respuestas que terminarán con las dudas que tanto te atormentan.

Date la oportunidad de vivir tus propias experiencias. No preguntes por el final de la película, aunque la incertidumbre te mate, mejor espera el momento en el que tú irás a sentarte a esa sala de cine y lo descubrirás por ti mismo, para entonces el día de mañana decir que lo viste con tus propios ojos, que nadie te lo contó.

¡Nadie me lo contó!, esa es la expresión que dice que has sido valiente, que has sabido esperar, que has controlado las dudas y has preparado el momento perfecto para darte cuenta de cosas que no podrías aprender de otra manera, porque si alguien nos dice algo en teoría, corremos el peligro de en la práctica no poder hacer los cambios necesarios.

No me malinterpretes, no estoy diciendo que hay que aprender por la "vía dolorosa" (aunque sí soy de los que creen que hay cosas que solo se aprenden a través del dolor), solo te digo que muchas dudas se disipan solamente cuando vivimos nuestras propias experiencias.

Muchas de las grandes ideas nacen de las grandes dudas.

Hay ideas que cuando las materializas te resuelven la vida, pero tenemos que ser caballeros y reconocer que esa gran idea vino en medio de una duda.

La duda activa tu cerebro, tu inteligencia, y eso la capacidad de sobrevivencia que todos tenemos. Todo esto resulta en aquella idea que hoy es ya todo un estilo nuevo de vida para ti.

Cuando tu corazón dice sí, tu cabeza dice no, y tú dices no sé, ¡felicidades!, estás pasando por una autentica duda. Y lo que ahora debes hacer es ponerte de acuerdo con tu cabeza y con tu corazón, tener una serie de juntas ejecutivas para discutir el futuro de la empresa que es tu vida, llegar a algunos acuerdos, entrar juntos a esa investigación minuciosa y comenzar a sacar conclusiones, porque tienes que saber que las dudas más grandes muchas de las veces se resuelven con pequeñitas conclusiones.

Cuando tu corazón diga sí, tu cabeza diga sí, y tú digas sí, ¡lo habrás resuelto todo!, ahora sí, a dar pasos firmes.

Si después de que tu cabeza diga sí, tu corazón diga sí, y tú digas sí, pero no das el siguiente paso, ya no se llama duda, ahora se llama *indecisión*.

Sería fantástico que despertáramos la habilidad de ver la duda como la oportunidad de reafirmar nuestras convicciones.

Me considero una persona que tiene mucha fe, siempre trato de que mi fe crezca y que siempre esté activa. Pero hay momentos en los que tengo dudas y pienso que en algo estoy fallando, que algo descuidé para tener que pasar por esas dudas. Hasta que un día me di cuenta que la fe y las dudas están profundamente entrelazadas, que una le da vida a la otra, que la duda activa la fe y que la fe desactiva la duda, pero que no me podré deshacer para siempre de ella.

Se dice que las personas con más dudas son las que llegan muy lejos porque todo lo cuestionan: ***cuestionar es aprender***. Cuando vives una vida de diario aprendizaje debes llegar más lejos que aquellos que se ahogan en sus dudas.

Deseo que nuestras dudas más profundas dejen en nosotros las convicciones más grandes en la vida.

Las dudas siempre vendrán, no terminarán, siempre nos perseguirán, siempre llagarán en el momento menos indicado, pero ahora ya sabes qué hacer con ellas: ***convertirlas en tu más grande convicción***.

La duda es uno de los nombres de la inteligencia.

Que nadie te menosprecie por dudar.

Que nadie te tache de ignorante por dudar.

Que nadie te catalogue de inseguro por dudar.

¡Estalla en dudas hasta provocar un caos!, teniendo por seguro que en un periodo de tiempo tendremos apacibles respuestas que traerán tranquilad a ese caos tan incierto.

Saca provecho de la duda tomándola como vehículo para que te lleve por atajos a tus mejores aciertos.

Ambrose Bierce dijo que la duda es la madre del descubrimiento. No puedes pasar la vida esperando que las demás personas decidan por ti, es hora de salir a escena aun con esas fastidiosas dudas, pues, aunque ellos no lo sepan, estas te ayudan a descubrir nuevos horizontes, nuevos aires y te llevarán a ver nuevos paisajes.

CAPÍTULO 9

EL FRACASO

Siempre habrá hojas en blanco esperando por ti por si te equivocas.

Sentir que perdemos las fuerzas y las ganas de intentarlo una vez más.

Creer que las cosas buenas se hicieron para todos menos para nosotros.

Se agotan las esperanzas.

El hambre por lograr algo, se va.

La tristeza se hace más fuerte que nuestras ganas de vivir.

Caminamos con la cabeza agachada por vergüenza.

Nos escondemos detrás del telón para no salir a escena nunca más.

Y todo esto por vivir un fracaso.

Esto debe cambiar.

Hasta el actor más brillante y famoso ha experimentado un fracaso, que no vemos porque está resguardado detrás del telón.

Esa sensación de creer que le hemos fallado a los demás al haber tenido un fracaso no nos deja levantarnos de inmediato del suelo para ir por un intento más.

Nos volvemos ese compañero fiel de la última derrota sin dejarla que se marche de nosotros.

LOS FRACASOS SE SUELTAN, NO SE COLECCIONAN.

Vivimos la vida coleccionando fracasos, los tenemos en una vitrina anunciándonos cosas que solo nos hacen daño. Todo por el afán de darle vida a los fracasos del pasado que han muerto a causa de la vejez, pero que nosotros insistimos en resucitarlos a través del recuerdo.

Muchos se paralizan de solo pensar que si intentan algo pueden fracasar. Fracaso es una de las palabras más temidas del ser humano y no debería ser así. Solo de imaginar que fracasaremos en la vida nos hace pensar que mejor no hubiéramos venido aquí.

Los fracasos son necesarios en la vida porque son aquello que nos da la experiencia y nos enseña por dónde hay que ir y por dónde no, cómo hay que hacer las cosas y cómo no hay que hacerlas.

La mayoría de nosotros le tenemos pavor a la palabra fracaso y no tendría que ser así.

Terminemos por aceptar que el fracaso es un ingrediente más para ganar. Démosle el sentido correcto al fracaso: si sucede, debe ser como una lección intensiva para llevarnos hacia la madurez. La persona con más fracasos en el mundo en cualquier momento se convertirá en una enciclopedia, es decir, en un experto de vida, y lo que no logró en diez años lo logrará en uno, pues ya tiene todo el mapa de por dónde debe ir. Todo está en que ese fracasado decida levantarse una y otra vez.

Sí, la clave después de un fracaso es levantarnos con una sonrisa. ¿Una sonrisa?, sí, dije una sonrisa, como si nada hubiera pasado, como si aquello fuera una mala broma, como si lo hubieras planeado para que saliera así de mal. Así como subirte a una patineta, y te caíste, te levantaste riendo con tus amigos, tomaste la patineta, la aventaste al suelo y te subiste otra vez para seguirte divirtiendo.

AUN EL FRACASO ES PARTE DE LA ESPERA DE RESULTADOS PARA SABER SI ALGO ESTÁ FUNCIONADO O NO. CUANDO LOS RESULTADOS DIGAN QUE FUE UN FRACASO, NO TE FRUSTRES POR ESE RESULTADO PORQUE A LARGO PLAZO TE HARÁ PERDER TIEMPO, ESFUERZO Y DINERO EN COSAS QUE NO FUNCIONAN.

Querer ser violinista, piloto aviador o trapecista son cosas que corren el riesgo de fracasar en el intento y esto es parte de la vida. Tu mayor preocupación no debe ser fracasar, sino que los demás no te quiten la pasión por intentarlo. Muchas de las veces, aunque no suceda lo que se persiguió, el solo haberlo intentando traerá una gran satisfacción.

Disfrutar con emoción el planear esa estrategia para lograrlo es lo mejor que podemos hacer, la mejor experiencia no es cuando se logra, sino la preparación para llegar, aunque no siempre sea eso una garantía. Pero esa estrategia te mantendrá ocupado, entusiasmado; despertarás la creatividad y entonces te sentirás pleno, vivo, y eso no se compara con nada. De tal manera que el resultado final no te debe robar lo que sentiste ni lo que viviste mientras planeabas esa fina estrategia.

Que el miedo a fracasar no se convierta en tu capataz, cuídate de esto.

Tú mandas, no el miedo.

Tú decides, no el miedo.

Tú eres más grande que el miedo, solo que a veces lo vemos a través de una sombra o de un espejismo.

El problema muchas veces es que necesitamos estar agarrados de algo y nos agarramos del miedo. Deja libre el miedo, déjalo volar, no te aferres a este. No permitas que el *déjà vu* de tus fracasos pasados te robe la increíble sensación de ir por algo más, porque pensar en ir por algo más es la antesala de una vida emocionante que se aproxima.

La adrenalina de saber si ahora sí va a suceder es lo mejor que puede haber. Te confieso que soy adicto a esa adrenalina y eso me mueve a intentar cosas locas y a veces sin sentido para muchos. Lo que para muchos no tiene sentido de lo que hago, para mí es la vida entera.

Muchos de tus fracasos son la contradicción de lo que dicen las personas que no puedes ser. Haz las cosas porque te gustan y porque puedes.

No siempre tenemos que hacer las cosas

para ponerlas en una cima.

HAY FRACASOS QUE NOS SERVIRÁN PARA NO MORIRNOS, PUES ANTES DE QUE LLEGARAN ESOS FRACASOS HICIMOS LAS COSAS QUE NOS DIERON LA RAZÓN DE EXISTIR.

LOS FRACASOS SON ESO QUE UN DÍA RECORDARÁS Y DARÁS GRACIAS, PORQUE ELLOS TE HAN LLEVADO A DONDE HOY TE ENCUENTRAS, SE CONVIRTIERON EN TUS MAESTROS POR ALGÚN TIEMPO SIN DARTE CUENTA. PERO ANTES NUNCA LOS VISTE ASÍ, SIEMPRE LOS REPUGNASTE POR CREER QUE TE QUERÍAN DESTRUIR CUANDO EN REALIDAD TE QUERÍAN ENSEÑAR.

Los fracasos son solo simples escalones.

Dolorosos casi siempre, pero al fin simples escalones que te van subiendo poco a poco a aquellas cosas que siempre deseaste en tu corazón.

Los fracasos no quieren estar encima de nosotros, solo quieren estar abajo para que los pisemos en camino hacia ese punto perfecto que está arriba. Los fracasos en muchas historias fueron esa plataforma sólida donde se afianzaron grandes triunfos.

Calibrar la palabra fracaso es quitarle el poder que no debe tener y que muchas veces nosotros mismos lo damos. Sería genial cerrar los ojos, poder sentir que alcanzamos las estrellas, aunque después de abrirlos descubramos que están muy lejos. Lo mismo tenemos que hacer con los fracasos, debemos pasarlos con los ojos cerrados usando la imaginación, contándonos nosotros mismos la propia historia de por qué están sucediendo las cosas, diciéndote que las cosas están jugando a tu favor. Te platicas que es necesario esto que está pasando, que es algo que te ayudará y que tienes que pasarlo, aunque duela. Con los ojos cerrados te platicas tu propia historia diciéndote que el fracaso de hoy te está haciendo un bien y no un mal.

Después de un fracaso cierra los ojos y platícate la historia que diga: hoy me hará más bien este fracaso que si hubiera obtenido una victoria. Una de las tantas frases que nos dejó el mejor basquetbolista de todos los tiempos, Michael Jordan, fue: "He fallado más de 9,000 tiros en mi carrera; he perdido casi 300 juegos; 26 veces han confiado en mí para tomar el tiro que ganaba el juego y lo he fallado. He fracasado una y otra vez en mi vida y es por eso que tengo éxito".

FALLAR EN EL INTENTO DEBE SER SOLO ESO, UNA FALLA Y NO EL FIN.

FALLAR EN EL CAMINO DEBE SER ESO, UNA FALLA EN EL CAMINO, PERO HAY MÁS KILÓMETROS POR RECORRER INTENTÁNDOLO.

HAY MOMENTOS DONDE DEBEMOS CEDER, AUNQUE MUCHAS VECES DEBAMOS PERDER.

MUCHAS VECES PERDER PUEDE SER EL COMIENZO DE UN ÉPICO TRIUNFO.

PERDEMOS MÁS CUANDO NOS PREOCUPAMOS AFANOSAMENTE EN NO PERDER.

Entonces, ceder no es perder.

Muchas de las veces tendremos que ceder, aunque nos deje la curiosa sensación de derrota. Pero el ceder te dará la libertad que necesitas.

DARLE EL GANE A ALGO O A ALGUIEN TE REGRESARÁ LAS ALAS PARA RETOMAR EL VUELO A UN LUGAR MEJOR, A UNA VIDA MEJOR.

Claro, todos dirán que has fracasado por dejar ir el amor de tu vida, por dejar ir el gran trabajo que tantos te envidiaban, la editorial donde cualquiera quisiera publicar su libro. Te dirán que has fracasado porque dejaste ir ese que parecía ser el mejor de los amigos, aunque para ti era tóxica esa relación. Te dirán fracasado porque cediste algo para recuperar a alguien. A esto le llamo yo "fracasos intencionales", porque sabiendo a lo que vamos, cedemos, porque al final algo mejor nos dejará.

Es increíble que haya fracasos que nos llevan a una mejor vida, a un mejor tiempo. Si no hubieras cedido sabiendo que vendría ese fracaso, no estaría sucediendo lo que hoy vives y por lo cual estás agradecido.

El fracaso no debe ser razón de burla, el fracaso debe ser motivo de reconocimiento y admiración por esa persona, porque si ha tenido un fracaso es porque lo intentó. Los muchos fracasos hablan de muchos intentos; los muchos intentos hablan de la perseverancia; esa perseverancia dice que ese "fracasado" hasta hoy ha sido un valiente. Si en el camino de la vida conoces un "fracasado" como este, no lo pierdas de vista, porque un día lo verás arriba, un día lo verás al lado de grandes personalidades; un día lo verás en una revista o simplemente un día lo verás feliz.

¡No huyamos de los que fracasan!

¡No huyamos de los fracasos!

No fracases solo, cuando fracasamos solos es porque estamos solos, es porque hemos emprendido cosas solos, quisimos triunfar solos y nos ganó la arrogancia de pensar que no necesitamos de alguien más para ganar.

COMENZAR UNA AVENTURA EN SOLEDAD SIEMPRE TERMINA EN TEMPESTAD, Y NO HABRÁ QUIÉN SE MOJE CON NOSOTROS CON ESA LLUVIA INTIMIDANTE.

En este mismo momento estoy viviendo una nueva aventura que me costó dejar muchas cosas, arriesgar otras, y he sido muy criticado aun por amigos por esta decisión de emprender algo nuevo (que de hecho entre esos amigos han hecho apuestas para ver cuánto dura con vida lo que acabo de emprender). Pero tengo paz, porque ahora no estoy haciendo las cosas solo. Esto que acabo de emprender como una fusión para algo nuevo no lo estoy haciendo solo, tengo un "*partner*" que admiro, respeto y quien me desafió a hacerlo.

Tengo mucha paz porque si fracaso, no fracasaré solo; pero si gano (que sé así será), no ganaré solo, tendré con quien hacer fiesta para celebrar dicha victoria.

Los muchos fracasos un día en nuestras narices se rendirán a nuestros pies, haciendo de este fracasado alguien admirado. Nadie puede ser admirado sin antes haber sido un "fracasado rechazado".

Sí, lo sé. De pronto te sientes ese boxeador que se encuentra "muerto de miedo" por perder. Tu imagen está por todos lados, tu foto es observada por todas las personas que pueden estar contigo o en tu contra; pero tú solo piensas en no fracasar para no ser la burla y el escarnio de los demás. A veces queremos ganar para los demás y no para nosotros, a veces hacemos las cosas para los demás y no las hacemos para nuestra entera satisfacción. No queremos fracasar para no traer decepción a los demás, sin importar qué pensamos nosotros mismos.

Quizá esa noche era tu gran pelea, todos tenían expectativas sobre ti, llegaste ahí al cuadrilátero con miedo, con incertidumbre, tu sueño era salir con las manos levantadas y regresar al vestidor en hombros para que al otro día no se mencionara en los principales diarios en primera plana: *"¡Ha fracasado!"*. Comienza la pelea, y desde el primer golpe que recibes sientes que el mundo te da vueltas, sabes que esa noche no ganarás, no sabes qué hacer, solo quieres tener una derrota digna, pero ni eso. La noche donde tenías tantas esperanzas de brillar se convierte en la peor de tu vida. Perdón por el final que le doy a esta pequeña historia; soy el escritor y podría darle otro final a tu historia, más he decidido que, ¡perdiste!

No me gusta perder, pero cuando pierdo lo hago con estilo.

Seamos buenos perdedores cuando nos toque perder.

Seamos fracasados con estilo con la mentalidad de que la revancha llegará.

No siempre se gana.

No siempre será nuestro día.

No siempre será nuestra temporada.

No se ganó, pero sigue ahí creyendo, confiando y esperando la oportunidad de volver a intentarlo.

Esto me recuerda a una frase del gran Bruce Lee (artista y maestro de artes marciales) que decía: "No tengas miedo al fracaso. Al hacer grandes intentos es hasta glorioso fallar".

De las segundas oportunidades salen grandes cosas, por eso no puedes quedarte en un solo intento. Aquí es donde nos tenemos que convertir en esos tercos insoportables, esos que por una temporada nadie aguanta, esos que dicen que el sol puede salir, aunque todos saben que es un día pesimamente nublado.

El triunfo de una revancha sabe mejor, se disfruta más. El orgullo es sanado, la dignidad es recuperada, los enemigos son callados y la admiración de las personas es más genuina, como que en el fondo deseaban que ahora sí ganaras.

Conozco muchos segundos lugares que son quienes triunfan en la vida, y los que ganaron esa noche el primer lugar son parte de un místico anonimato.

En el boxeo y el fútbol también los que pierden ganan dinero. Así que cada vez que tengas un fracaso busca un motivo de alegría que no tenga nada que ver con lo que acabas de pasar. Si te vas a encerrar, enciérrate con las personas que te aman igual si ganas o pierdes, esas personas que te aman si llegas en primer lugar o en último, esas personas que te aman por lo que tienes en tu interior más que por lo que tienes en el exterior.

MENTALÍZATE A QUE DESPUÉS DE UN FRACASO VIENE EL VERDADERO COMIENZO.

Necesitamos saber que no hay cosa mejor que comenzar, aunque lo tengas que hacer todos los días. De pronto se nos olvida que no solo es fracasar y ya, necesitamos *comenzar* de nuevo las veces que sea necesario.

Ningún boxeador gana desde la comodidad de su casa, ese boxeador gana cuando está en el ring atendiendo el sonido de la campana que le dice que su revancha ha comenzado.

Nadie sabrá si la segunda oportunidad te dará la victoria si no empiezas a intentarlo.

El miedo al fracaso hace que nos escondamos de la oportunidad.

El miedo al fracaso paraliza a las personas y las deja ahí estáticas desperdiciando su vida.

El fracaso anuncia algo muy importante: *que no es tiempo de abandonar*, algo contrario a lo que todos pensamos. Un mal momento no debe convertir todo tu día en un fracaso. Un fracaso no puede hacer tu vida entera.

Alto nivel de logros, alto nivel de fracasos. Las súper estrellas de beisbol fallan en pegarle a la pelota el 70% de las veces, si logran batear un 30% son considerados los mejores, esto significa que por cada mil intentos 700 veces fallaron, así que estos reconocidos campeones tienen que vivir con este índice de fracasos todos los días. Nuestro problema es que no queremos fallarle a ninguna pelota y eso será imposible, debemos tener la humildad de aceptar que vamos a fallar una y otra vez en el intento, pero sabiendo que en algún momento le pegaremos a esa "desgraciada" pelota que tanto se resistió y que nos dejó en vergüenza muchas veces delante de muchas personas.

Un día la sacarás del estadio y será en el momento más importante y con casa llena, eso también lo he vivido y te tengo que decir algo con mucha sinceridad: ¡Es lo máximo que puedes vivir!

El fracaso no es una enfermedad, no es un virus, ni tampoco un espíritu raro... jeje, el fracaso es solo una consecuencia de intentar algo, de tomar malas decisiones o de escoger a la persona incorrecta; pero recuerda, es solo una consecuencia de algo. Digo esto para todos aquellos que se van en el viaje de la superstición.

¡Hey!, el fracaso no mata.

La ventaja después de un fracaso es que quedas vivo.

Un día un amigo mío me invitó a hacer un viaje en moto, tuve que decirle que no por dos razones: la primera, porque no tenía moto; y la segunda, porque no sabía andar en moto. Me pudo mucho tener que haber rechazado esa invitación. Hacer un viaje en moto a otra ciudad con la celebridad que me estaba invitando creo que era una buena idea. Mi respuesta a ese amigo que me invito fue: "No puedo, estaré de viaje".

Después de eso, lo primero que hice fue ir a comprarme una moto y después aprender a andar en ella. Le llamé a un amigo para que me enseñara, con gusto accedió. Después de la primera lección, donde la verdad se me hizo muy sencillo, mi amigo me dijo que para ser la primera vez lo había hecho bien, pero que *no* tomara la moto todavía, que debíamos trabajar con algo de sincronización. Le dije que estaba bien, que él era el maestro y que él decidía, que le haría caso. ¿Tú crees que le hice caso? Por supuesto que no. Fui un mal alumno.

A las tres horas de haber tenido la primera lección salí a la cochera de mi casa y ¿quién crees que estaba ahí pidiéndome que la montara? Claro, la moto.

Me subí pensando en que solo me iba a subir, no la voy a prender; después me dije que solo la prendería para escuchar su sonido (si te gustan las motos entonces eres fan de ese sonido), pero no la voy sacar, me decía a mí mismo. Al final terminé saliendo de esa cochera sin saber que me dirigía a mi primer fracaso como motociclista.

Salí de ahí tan confiado, lleno de adrenalina y pensando que aquello era más fácil de lo que pensaba. No sé por qué me diría mi amigo que no la tomara todavía; estaba pensado justo en eso y dejando a la adrenalina gritar, cuando me falló la sincronización, es decir, creyendo que frenaba, ¡aceleré! (podrás pensar que eso no puede pasar, pero sí sucede). ¿Y pues qué crees?, sí, me pasó a mí. Con la moto acelerada fui a estrellarme con un poste, yo salí volando por un lado y la moto para el otro golpeándose por todos lados. Solo recuerdo que caí golpeándome el brazo, sentía mucho dolor en mi espalda y me quedé tirado exclamando: "¡No me maté!". Ese fracaso no me mató, solo me tumbó, y me pude levantar otra vez por una revancha.

Al otro día tenía que viajar para Alemania, sería un viaje largo y yo con mi brazo sin poderlo mover (y si yo te contara la odisea de mi viaje para poder cargar mis maletas). Llegué al mostrador de la aerolínea para subir al avión y la señorita que estaba pidiendo los pases de abordar me pidió esperar un poco, al final me cambió mi asiento por uno de primera clase al ver mi situación. Le agradecí. Al final me preguntó: "¿Qué le pasó?", y yo con el orgullo herido le dije: "Me caí de una moto". ¡*Wow*, qué emocionante!, dijo ella. Me subí al avión y tuve que reconocer que fue agradable decir que me caí de una moto.

Llegué a Alemania con el deseo de que me preguntaran ¿qué le pasó? Y así fue, toda mi estancia en Alemania dando conferencias fui el mexicano intrépido que se cayó de una moto.

Así le saqué provecho a mi fracaso.

El resultado de mi fracaso se hizo visible en mi brazo que fue lo que me llevó al buen resultado de viajar en primera clase en un viaje tan largo. Tuve una historia que contar en Alemania la cual, por cierto, la conté con estilo.

Aprende a sacarle provecho a tus fracasos, platícalos con estilo y no con la intención de que te vean como una víctima a la que todos le tienen lástima.

Un fracaso puede provocar admiración o lástima por la persona según la actitud de cada quien.

No le pongas candado a la puerta de ese cuarto donde te has refugiado después de tu fracaso, porque en cualquier momento saldrás una vez más para volver a intentarlo.

CUANDO ESTÉS SÚPER DESANIMADO POR TENER YA ALGUNOS FRACASOS ACUMULADOS, TÓMALOS, ÚSALOS DE PELDAÑOS, HAZ UNA ESCALERA Y COMIENZA A SUBIR POR ELLA. TE LLEVARÁ ARRIBA, Y SIEMPRE DESDE ARRIBA LAS COSAS SE VEN MEJOR DE LO QUE ESTÁN ABAJO.

#1 SOBREPONTE A AQUELLO QUE PASÓ

Sobreponerse significa "hacerse superior al mismo fracaso, hacerse superior a las adversidades o a los obstáculos que de pronto te hacen sentir que perdiste".

Ponerte más arriba de tu situación es lo mejor que puedes hacer, no puedes regresar el tiempo para evitar que sucediera lo que pasó, pero sí puedes hoy tomar la decisión de subirte arriba del fracaso y dominarlo, no permitir que cause los estragos que en muchas personas los ha llevado a una depresión crónica hasta dejarlos a algunos sin vida.

TU LUGAR NO ES ESTAR POR DEBAJO DE LA SITUACIÓN, ESE NO ES TU LUGAR. TU LUGAR ES ESTAR ARRIBA DE LA SITUACIÓN RECUPERANDO TU ÁNIMO, TU DIGNIDAD, TU PAZ Y TU FE PARA SALIR MAÑANA A ESCENA UNA VEZ MÁS, CON LA ESPERANZA DE QUE AHORA SÍ LAS COSAS JUGARÁN A TU FAVOR.

No te quedes ahí y ponte arriba de esos fracasos.

Muchas personas creen que yo nunca he fracasado, será que cada vez que fracaso lo primero que hago es subirme encima del fracaso con una sonrisa que le hace creer a la gente que es mi mascota.

Un fracaso no direccionará nuestra vida si sabemos sobreponernos. Aquí lo que importa es determinar en qué posición estamos, ¿arriba o debajo de los fracasos? Esa es una decisión nuestra y de nadie más.

Sé lo que te estás preguntando: "¿Y cómo le hago?". Mi respuesta sería: deja el fracaso ahí en el suelo y súbete arriba de él. ¿Qué simple no?

Lo trágico nunca será un fracaso, lo trágico es no querer meterle todas nuestras fuerzas para sobreponernos al fracaso.

#2 SUPERA LO QUE PASÓ

Si no lo haces, será difícil que puedas soñar cosas nuevas. Superar significa que el recuerdo de ese fracaso ya no te afecta, ya no te duele, ya no causa nada negativo en tus sentimientos. Sí, sé que es lo más difícil cuando se vive un fracaso, pero si no lo haces, siempre estarás preso, encarcelado en algo que ya no existe, que ya pasó.

SUPERAR ES DECIR: RECUERDO LO QUE PASÓ, PERO YA NO ME DUELE. RECUERDO LO QUE PASÓ, PERO YA NO LLORO. RECUERDO LO QUE PASÓ, PERO YA NO COMO ALGO QUE DAÑE MI AUTOESTIMA. RECUERDO LO QUE PASÓ Y YA NO ME DESANIMA.

Sé lo que he superado porque ahora río, ahora me siento animado, ahora siento alivio. Recuerdo lo que pasó y lo platico como una experiencia más de vida y no desde una plataforma llamada *amargura*.

#3 CONTINÚA

Cada vez que Lily y yo vivimos un fracaso nos gusta decir aún con lágrimas en los ojos: "Esta historia *continuará*", porque sabemos que no fue el final, que solo es una *pausa* que estamos teniendo. No solamente te subirás a la adversidad, no simplemente vencerás la adversidad, no te quedarás parado, en reposo, y en el lugar donde ganaste. Sino lo que harás será continuar soñando las cosas grandes que vienen a tu vida. Las cosas no vienen a ti, perdón, pero esa famosa ley de la atracción ha mantenido a muchos esperando que las cosas lleguen, y en esta vida hay que ir por ellas. Prefiero ser un ex fracasado que fue y lo intentó, a un mediocre estático que nunca intentó nada por estar esperando.

Ten por seguro que todas esas personas a las que admiramos han tenido fracasos, si no es que ahora mismo los están teniendo, pero hoy los admiramos y son nuestra inspiración. Tenemos su música, sus libros, vemos sus películas, todo porque un día decidieron continuar. No pares, continúa, continúa ¡y continúa!, que los episodios nuevos llenos de favor y de buenas noticias son para los que siguen a pesar de los mil fracasos pasados. No tengas miedo de romperte la boca, un brazo, una pierna o el mismo corazón al momento de intentarlo, que la vida no se nos dio para regresarla intacta, sino vivida.

Podré tener un mal día, pero eso no significa que tendré una mala vida. La temporada de fracaso por la que pasé no convertirá todo el resto de mi vida en un fracaso.

Qué increíble será cuando saques el álbum de fotografías y alguien señale una foto en particular y te diga: "¡Qué feliz te vez en esta foto!", y tú le puedas decir: "Así es, fue el día que decidí continuar después mi fracaso". Recuerda que primero debes hacerlo mal para después hacerlo bien, una ley que aprendí desde preescolar fue que hay fracasos primero antes de lograrlo.

Fracasa, quiero decir, gana; bueno, fracasa... está bien gana, total es lo mismo.

CAPÍTULO 10

CREER

Pensar es gratis, no hacerlo puede salir caro.

Creer que seremos los protagonistas de la mejor puesta en escena de la historia.

Creer que los mejores teatros del mundo están esperando por nosotros.

Creer que los más lindos escenarios se engalanarán con nuestra presencia.

Creer es lo que nos hace entrar en ese mundo de la fantasía que te dice que todo estará bien en medio de una realidad cruel y tormentosa.

Creer que vendrán las fuerzas necesarias en medio de la debilidad provocada por los desgastes de la vida.

Creer que vendrá el consuelo en los momentos de desolación como llega la lluvia en medio de una larga sequía.

Sequía que nos hacía pensar que nada volvería a dar su fruto, que nada volvería a reverdecer; sequía que nos robaba la esperanza de volver a soñar con una primavera llena de paisajes felices que se convertirían en el blanco de nuestra próxima fotografía.

Creer que llegará una suave caricia cuando el alma duele.

Creer que alguien llegará cuando otros se van.

Creer que nuestro espíritu encarcelado será libre una vez más para volar hasta tocar el cielo.

Creer que podemos volver a nacer cuando sentimos que todo está a punto de morir.

Creer que detrás del telón de la vida todo tiene solución, y lo que no tiene solución se solucionará aceptándolo.

La vida se trata de creer.

AUN LOS QUE DICEN NO CREER, TAMBIÉN CREEN, PUES ELLOS CREEN QUE NO HAY QUE CREER.

Creer es una acción gratuita al alcance de todas las personas.

Rescatar la palabra fe de la torre de ese castillo resguardada por el dragón que se ha adueñado de ella.

FE, UNA PALABRA LIBRE PARA LIBRES, PERO QUE PARECIERA QUE ES ESCLAVA SOLO PARA ESCLAVOS QUE SE CREEN LIBRES.

Fe, una palabra que tendría que perder la exclusividad para llevarla al alcance de todos.

Fe, la acción de ir a la cama creyendo que todo puede mejorar al despertar.

Entonces fe es creer.

Cuando crees, estás practicando fe.

Creer en lo más simple.

Creer que mañana saldrá el sol.

Creer que mañana despertaremos respirando.

Creer que mañana le daremos un beso en la frente a nuestra pequeña hija.

Creer en que llegará la noche una vez más acompañada de la luna que iluminará nuestro descanso mientras duermes.

Creer primero en las cosas más simples, para después poder creer que el mar se puede partir en dos.

CREER EN EL AMOR

Creer que puedo amar y ser amado.

Creer que la experiencia agria de alguien más en el amor no debe ser forzosamente la mía. Sentirnos amados es la sensación más buscada por el ser humano.

Amar es la acción de la que muchos se privan por no creer que es posible.

CUANDO AMAMOS A UNA MUJER, CUANDO AMAMOS A NUESTROS PADRES, CUANDO AMAMOS A NUESTROS HIJOS, CUANDO AMAMOS A DIOS, CUANDO AMAMOS A NUESTROS AMIGOS, Y AUN CUANDO AMAMOS A NUESTRAS MASCOTAS, ESTAMOS CREYENDO, SOMOS CREYENTES DEL AMOR.

CREER EN EL ARTE

Creer que una pintura encierra la vida de alguien que lo pintó dejando sus desvelos, sus talentos y sentimientos en esa obra.

Voltear a ver al actor que está en escena y que llora sintiendo el dolor que una línea del guion le pide llorar, y que todavía te hace a ti creerlo, sentirlo mientras los ves, y que al final de su actuación te dejó con la piel erizada porque, aunque no lo reconozcamos, tuvimos fe para creer en medio del arte de esa persona.

Creer en esa canción permitiendo que la voz del artista y su letra te trasladen al lugar perfecto de la melancolía y la nostalgia es haber sido secuestrado por el arte. Teniendo como cómplice la fe creíste en ese artista, creíste en su canción, creíste en su letra, lo dejaste entrar a tus sentidos y nadie deja entrar a alguien en quien no cree.

Caminamos por la vida sin saber que estamos rodeados de arte e ignorando que practicamos arte en nuestro diario vivir.

El arte de amar cuando no nos aman.

El arte de ser leales cuando la traición acecha.

El arte de reír porque el circo está lleno, aunque nuestro corazón este vacío.

Perdonar en el mismo momento de la ofensa es un arte que todos tendríamos que practicar.

CREER EN EL HUMOR

Reírte de las cosas cuando las cosas te hacen enojar.

Hacer burla de la burla que te quiere destruir.

Tomar las cosas negativas como una broma pesada del diario vivir y reírte de esa broma, sabiendo que mañana viene tu oportunidad de regresar esa broma.

REÍR ANTES DEL VEREDICTO FINAL ES PRACTICAR FE.

REÍR DESPUÉS DEL VEREDICTO FINAL DONDE TODO JUGÓ EN TU CONTRA, ES PORQUE SABES QUE ESTO TAMBIÉN PASARÁ.

Creer en el humor es creer que tenemos la libertad de ridiculizar las cosas que nos pasan en el andar de la vida para robarnos nuestra buena voluntad y nuestras ganas de continuar.

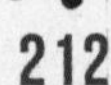

Creer en el humor es la vía para poder presentarle nuestro fracaso al mundo como algo cómico y sin importancia, y que al final, lejos de ser juzgados, seamos aplaudidos.

El humor es eso que te hace reflexionar sobre el tema más profundo y serio con una simple carcajada.

Tomar tan en serio las cosas de la vida que fueron hechas para diversión es una trampa en la que no debemos caer.

CREER EN LO CREADO ES TAMBIÉN CREER QUE HAY UN CREADOR

Creer que hay un Creador que hizo todo lo que vemos y es quien le da el talento y la inspiración al hombre.

CUANDO CREEMOS EN TODO LO CREADO, AUNQUE NO LO RECONOZCAMOS, ESTAMOS CREYENDO EN SU CREADOR.

Creer en el regalo que tenemos de creer y explotarlo.

Creer que creer es un regalo de esos que no pueden estar guardados es comenzar a vivir una vida plena.

UNA VIDA PLENA NO ES TENERLO TODO, UNA VIDA PLENA ES DISFRUTAR AL MÁXIMO LO POCO QUE SE TIENE.

LLAMEMOS LAS COSAS QUE NO SON COMO SI FUERAN HASTA QUE SEAN, SIN PERDER LA FE SI NUNCA SON.

La fe te hace tomar acciones arriesgadas aun cuando la lógica común te dice que no lo hagas.

La lógica común te puede decir la verdad de lo que puede pasar, pero la fe te dirá que la lógica común no tiene la última palabra.

Déjate convencer por las palabras que la fe te hablará todos los días, y no te dejes desanimar por las palabras de la lógica común.

Tendré fe porque eso guiará mis pasos en medio de la noche.

Creeré porque siempre habrá una razón.

CAPÍTULO 11

HISTORIAS QUE DEBEN CONTINUAR

La Vida
es tan
generosa
que siempre
te dará la
oportunidad
de improvisar.

Estoy detrás del telón, estoy callado, cosa rara en mí. Mis ojos manifiestan que estoy pensativo. Estoy respirando mi propio aire. Ya no existe otro mundo más que el mío. Comienzo a hacer un recuento de mi historia, de mis fracasos y de mis logros, de mis sacrificios, los resultados no son nada alentadores. Me veo al espejo confundido entre si soy el personaje que acaba de dar función en el escenario o soy yo mismo, el hombre común y corriente lleno de miedos e inseguridades. Me quito el chaleco, la camisa y el sombrero para ponerlos en el perchero, ropas que son parte de mi personaje que sale cada noche a dar lo mejor y que de pronto, al ver la ropa y el sombrero, viene la sensación de que no los volveré a usar, lo que significa que entonces decidí parar. En ese momento me lleno de miedo por tener ese pensamiento y muy en el fondo, me hago una pregunta muy peligrosa, tan peligrosa que no puedo decirla en voz alta, aunque me encuentro solo. Entonces esa pregunta la hago desde lo más profundo de mi ser y en silencio, y lo hago desde lo más adentro de mi ser para poderla dejar ahí y minimizar su efecto. Aunque de cualquier manera la pregunta llega, pregunta peligrosa, sin duda: ¿Debo continuar?

UNA PREGUNTA QUE DESATA MUCHAS PREGUNTAS

¿Vale la pena continuar?

¿Habrá una razón convincente para continuar?

¿Me bastarán las fuerzas que me quedan para continuar?

Ir detrás del telón es ir a la realidad, es ir a esa soledad que habla, es ir para encontrarte con los pensamientos que te avisan que hay una realidad allá afuera del teatro por vivir y enfrentar.

Salgo del teatro, me sacudo el personaje, me olvido de esa mala noche, dejo mi pésima actuación detrás del telón a diez metros del escenario donde se encuentra mi camerino, ahí la encierro, apago la luz, y salgo por la parte de atrás del edificio y me reincorporo a esa calle aluzada, con lugares pintorescos para tomar café. Dentro de ellos están familias enteras, mamá y papá con sus pequeños hijos hablando de qué serán cuando sean grandes.

Mientras camino por la banqueta, veo a un joven arrodillado delante de una chica entregándole un anillo de compromiso pidiéndole que sea su esposa, ella le dice que sí, y toda la gente que está en la calle empieza a aplaudir aun sin conocerlos. Me contagiaron tanto que terminé aplaudiéndoles y reflexionando en que todavía hay personas que se alegran contigo.

Ya empiezo a respirar el aire de los demás, dejando de respirar el propio. Sigo caminando bajo una pequeña llovizna, y al voltear, puedo ver sobre el ventanal de un restaurante a un anciano enseñando a sus nietos lecciones de la vida. Sé que te preguntas que cómo supe que eso hacía, pues bueno, eso es lo que yo quise imaginar.

La imagen de ese anciano y todas las demás que vi en esa calle llena de luces donde está el teatro donde me presento día y noche me hicieron tomar una decisión ante esa pregunta peligrosa.

Mi decisión fue:

"MI HISTORIA DEBE CONTINUAR".

No importa con cuántas cicatrices llegue al final... debo continuar.

Cuando menos pensé, ya lo estaba gritando como niño por toda esa hermosa calle: "¡Mí historia debe continuar!". Me sentía contento porque esa camisa, ese chaleco y ese sombrero que se quedaron en mi camerino volverían a ser usados por un servidor.

Cuántos hemos pasado por este cuadro tan decisivo después de un cansancio, después de una traición, después de que alguien se va, después de esperar que las cosas se muevan a nuestro favor y no se mueven, después de que perdimos un juego importante en la vida. Hemos dicho ***"hasta aquí llegó mi historia"*** con la decisión de no continuar más.

Si has decidido no continuar en tu historia, te suplico que sigas leyendo y que reconsideres tu decisión.

La superficialidad a tu alrededor te pide que no continúes, pero debemos tener cuidado, porque dentro de lo superficial hay cosas y personas genuinas.

Muchas de las veces tomar la decisión de *no continuar* puede ser trágico. Sé que tu historia será fantástica, aunque no te conozco, pero yo soy de las personas que les gusta ver feliz a otros, que le gusta ver realizadas a las demás personas, y mi mayor deleite es ver reír a la gente. De hecho, a algunas personas no les caigo muy bien porque dicen que soy muy positivo, pero si vieras cómo me preocupa eso.

Por eso sé que tu historia debe continuar. Te diré algo, pero no se lo cuentes a nadie, por favor: cuando veo personas reír de alegría por donde voy, aeropuertos, aviones, parques, plazas, me suelto llorando. Qué cursi, ¿no?, pero eso es lo que me causa tal imagen y solo digo: "Gracias Dios".

¿Quién no ha tenido momentos decepcionantes en algún punto de nuestra historia?

Recuerdo cuando mandé ***mi primera carta de amor*** en la secundaria (siempre he sido muy cursi, ¡ups!, se me olvidó que Lily leerá este libro), solo era un niño bien, sin maldad y rubio, bueno, solo sin maldad, rubio, pues no. En la carta le pedía a "María Joaquina" si quería ser mi novia, y la muy sincera me dijo en mi propia cara: "¡No!, porque no me gustas, tienes perfil de caballo y estás muy feo". Yo solo me fui de ahí pensando: ***"Pero un día existirá el Facebook y me daré cuenta que te pusiste súper fea y tú te darás cuenta que me puse súper lindo, que hasta pensarás que me hice alguna cirugía, y entonces ahí te arrepentirás por haberme despreciado"***. Y como me dijo perfil de caballo, me despedí de ella relinchando. ¡Sí señor!

Hoy me veo al espejo y creo que no cambié nada, ¡ups!

De ahí me fui pensando: *"Creo que sí... sí, hasta aquí llegó mi historia, nunca más intentaré tener novia".* Qué bueno que decidí continuar porque después encontré a Lily, y ahora llevamos enamorados veinte años.

Este puede ser un simple y tonto ejemplo, pero cuántas veces porque algo no sale como queremos decidimos no continuar. Un rechazo nos detiene, el no de una persona nos desanima y la ofensa de alguien nos hace detenernos para no querer continuar (aunque la verdad "María Joaquina" tenía razón, sí tengo perfil de caballo, ¡ah!, pero de caballo fino, eso sí).

Hemos llegado a la parte donde empezarás a leer una y otra vez: ¡Tu historia debe continuar!

Alguien dijo un día: "Murió a los 25 años de edad, aunque lo sepultaron a los 75". Pienso que esta frase es sencilla de comprender y de aprender de ella. Esta persona duró 50 años muerta en vida, detuvo su historia a los 25 años sin imaginar que su vida duraría otros 50 más. Cincuenta años desperdiciados por no haber querido continuar, por no querer vivir y resignarse solo a existir. Esta persona dejó de soñar, dejó de intentar, dejó de caminar. Permitió que el reloj marcará las horas sin ningún sentido, el tictac de ese reloj siempre le quiso dar el mensaje de que él se había detenido, pero que el reloj sigue su curso.

No importa qué tan duro sea lo que tengamos que pasar, creo que valdría la pena y sería muy emocionante y fructífero a la vez continuar, para saber qué sucederá en los próximos años en nuestra historia y no quedarnos con la incertidumbre, ni tampoco pasarnos la vida haciendo suposiciones sobre qué pudo haber acontecido. Mejor continuemos para irlo descubriendo en el camino, mientras le damos vida a nuestro guion.

FUIMOS CREADOS PARA VIVIR Y NO PARA EXISTIR.

De aquella persona se dice que vivió 25 años, después solo existió 50, por no continuar. Una computadora solo existe, no tiene vida, no siente, no habla, no sueña, no cree, no sonríe, solo es una cosa y las cosas no respiran. Pero tú estás respirando, tú no eres una cosa, tú si puedes sentir, hablar, soñar, creer, sonreír, tú tienes vida.

Que esta no sea tu historia, que tu historia sea murió a los 90 años y lo sepultaron a los 90 años, y que en tu lápida diga: "...y vivió al máximo".

UNA BUENA E INTELIGENTE NOTICIA

Si estás leyendo este fabuloso libro es porque ¡estás vivo! (lo de fabuloso, pues es porque yo lo escribí).

¡Hay mucho por hacer mientras estemos respirando!

Cuando las cosas se nos salen de control, lo primero que queremos hacer es enterrar las cosas antes de tiempo. Los funerales antes de tiempo son muy feos. Imagínate qué terrible debe ser que te entierren vivo. De antemano te digo que es mi mayor fobia, de solo pensarlo me estreso. Bueno, pues lo que hacemos con muchas cosas en la vida es darlas por muertas, les lloramos vestidos de luto y luego las enterramos. Pero hay historias que deben continuar, que no podemos enterrar.

En el andar de la vida algo se va a enfermar, pero no tiene que ser de muerte, no tiene que ser el final, no tenemos por qué pensar lo peor. Muchas de nuestras situaciones difíciles son para que cuando se resuelvan todas las cosas se despierte en nosotros un agradecimiento profundo.

MUCHAS DE LAS COSAS NEGATIVAS QUE PASAMOS SOLO SON PARA REGISTRAR UNA VICTORIA MÁS EN NUESTRO RÉCORD DE HISTORIAS GANADAS.

Nuestras vitrinas estarán llenas de trofeos y de medallas por cada victoria que hayamos obtenido, sin importar que algunas son de segundo lugar. Esto te sonará raro, pero hay batallas en la vida que no se tienen que ganar en primer lugar, solo tienes que salir vivo para poder continuar.

Sigamos registrando victorias. ¡Ándale!, no estés pensando ahora que no vas a poder. ¡Inténtalo!

Aquellas cosas que has dado por muertas solo duermen. Ve a despertarlas, levántalas, entra a la tumba donde las pusiste, te están esperando a que vayas y les hables para que ellas puedan responderte como señal de que están vivas.

He visto a muchos continuar, ¡a muchos!, y vale más que me creas. A muchos cuyas historias parecían que estaban terminadas, pero que resurgieron de entre las cenizas y ahora los ves y dices: "¡*Wow*!, ¡pero si tú estabas muerto!, ¡tu historia estaba muerta!". Y seguramente esa persona te respondería: "Mi historia no estaba muerta, solo dormía, la desperté y decidí continuar".

Alguien le estará haciendo funeral a tu historia, a tu carrera, a tu empresa, a tu talento, a tu matrimonio o a tu futuro. Pero mientras ese funeral está en todo su apogeo, alguien llegará para arruinarlo con solo tomar la decisión de continuar, aunque no tengamos nada claro.

¡Y creo que ya la hicimos!

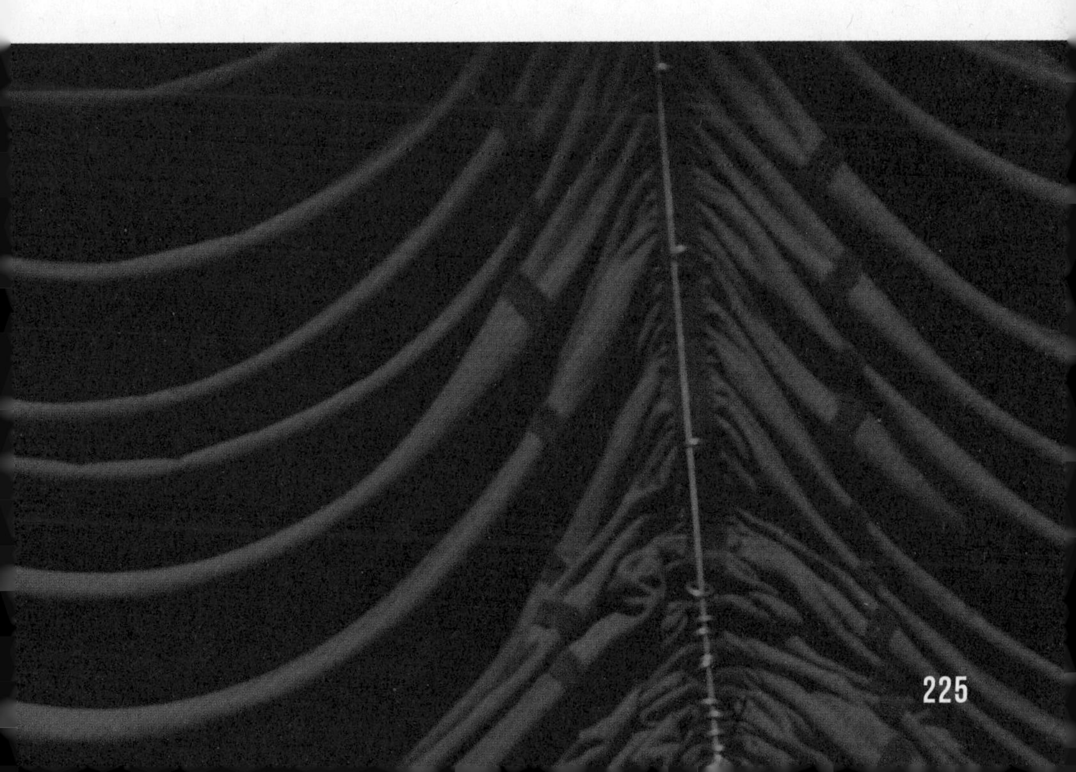

PARA CONTINUAR TU HISTORIA

CREER

Trabaja con toda tu fe.

Mira al cielo y reconoce que alguien está provocando que tu historia continúe.

Renuncia a la idea de que las cosas ocurren por casualidad o por suerte.

Deja de ser a veces tan materialista de modo que te olvides de ser espiritual y de poner tu fe en Dios.

Cree que las cosas pueden cambiar, comienza a creer que el sol va a salir y las nubes negras se irán.

Cree con todo tu corazón que tu historia debe continuar.

SALIR

Sal del lugar donde te encuentras, ese olor a desesperanza te puede hacer mucho daño.

¡Muévete de ahí! Sal fuera del lugar donde estás detenido y que no te deja continuar; sal de esa tumba en la que estás, no tienes por qué quedarte en ese lugar. Ya descubriste que sigues vivo y que tú no perteneces a una tumba húmeda y oscura.

No te quedes adentro.

SÉ LIBRE

Vuelve a respirar, vuelve a correr, vuelve a volar, vuelve a gritar.

Estalla en libertad, que todos sepan que tu nueva libertad no tiene precio, que no está en venta, que no la volverás a perder, que la defenderás con la vida misma.

NO HAY MEJOR MANERA DE CELEBRAR LA VIDA QUE SIENDO LIBRES.

CONTINÚA

Aunque te cierren las puertas.

Aunque no crean en ti.

Aunque se rían de lo que haces.

Aunque te estafen.

Aunque otros te quieran desanimar.

Aunque muchas de las veces caminarás más con el corazón que con los pies.

Debemos continuar, aunque las arrugas en la cara y las canas en el cabello nos anuncien que los años han pasado.

Yo no creo en el retiro, creo en las pausas.

Haz tuya aquella frase del expresidente Winston Churchill:

"El éxito no es definitivo, el fracaso no es fatídico. Lo que cuenta es el valor para continuar".

EPÍLOGO

Las metas
pequeñas
también
cuentan,
conquístalas
con alegría.

Y se fue la vida y me quedé con ganas de actuar.

Mi sueño de estar en esa puesta en escena de la vida para sentir esa sensación llamada *adrenalina* se frustró por los prejuicios, por el qué dirán.

Y pensar que la vida es tan corta, las pesadillas eternas y las esperanzas muchas.

Siempre creer que todos pueden dar su mejor actuación menos yo.

Hacerme preguntas que ya no tienen ningún sentido, pero siento que al hacerlas ayudarán a muchos.

¿Por qué quedarme con las ganas de hacer algo si al final la vida es mía?

¿Por qué preguntar si lo hago, si tengo un regalo del cielo que se llama *libre albedrío*?

¿Por qué decidir quedarme en el camerino toda la vida sin salir a actuar, si lo que había era un guion escrito exclusivamente para mí?

¿Por qué no calibré mis temores para atreverme a hacer todo lo que ellos no me dejaron hacer?

LA VIDA DETRÁS DEL TELÓN

Preguntas llenas de nostalgia, melancolías y arrepentimientos.

Dejé de hacer cosas por miedo de que pasaran sucesos en el escenario de la vida que en realidad nunca iban a ocurrir.

Dejé ir la vida encerrado en la monotonía que poco a poco me fue ahogando, monotonía que se convirtió en una amenaza latente cada vez que trataba de salir a escena.

Siempre dije no, cuando tuve que haber dicho que sí, cuando tuve que haber tomado la decisión de hacerlo sin que nada ni nadie me detuviera.

El teatro listo, el telón abierto, un público llenando el recinto como pocas veces, todo listo para que yo solo tome la decisión de dar mi mejor actuación... ¡y no lo hice!, preferí el silencio, el anonimato y obedecer a mis inseguridades.

No lo hice y hoy me arrepiento.

Me contagiaron de miedos que no eran míos, me hicieron pensar que todo jugaba en mi contra.

No quise irrumpir mi vida cuadrada para llevarla a nuevas aventuras y salir al escenario de la vida para disfrutarla al máximo.

Esta bien pudiera ser la narrativa de alguien que ya no está en esta tierra, pero observa la vida desde algún lugar lamentándose por lo que no hizo.

Obvio, ¡no es tu caso!

¡Tú estás vivo!

¿Por qué lo sé?

Porque estás leyendo este libro.

Y si estás vivo, entonces tienes mucha historia por delante para protagonizar.

Las cosas que pasan detrás del telón no tienen por qué detenerte.

Intenté convertir las cosas difíciles y crudas de la vida que pasan detrás del telón en capítulos adornados que nos dejaran saber que nos somos las únicas personas que pasamos por esto y que todo es superable.

Sé que ahora estás en ese camerino esperando salir para dar la mejor actuación de tu vida, pero ahora sé que estás ahí con una mentalidad diferente, consiente que ante cualquier vicisitud de la vida hay que salir a escena con la mejor actitud, con la fe de que será tu mejor día, tu mejor noche, tu mejor momento.

Sé que estás listo o lista para ponerte la camisa, el chaleco y el sombrero que están en ese perchero para salir a escena. También sé que estas emocionado porque estás a punto de salir a actuar.

Sé que estás ansioso de cerrar la última tapa de este libro porque el ánimo y la inspiración han llegado una vez más a ti y te urge escuchar la tercera llamada.

¡Comenzamos!

¡Tú todavía tienes la oportunidad de actuar en el bello escenario de la vida!

LA VIDA DETRÁS DEL TELÓN

Qué gusto fue para mí haberte dado un recorrido por detrás del telón, juntos, solo tú y yo, animándonos mutuamente, siendo cómplices de las cosas que nos han pasado, pero llegando a la ineludible conclusión de que las demás personas solo son actores de reparto en la historia de nuestra vida, por lo que no tienen por qué arruinar nuestro protagonismo.

Es nuestra puesta en escena.

Tú y solo tú eres el actor de la obra.

Y esa obra es tu propia vida.

¡Hasta la próxima!

Con cariño,

Gustavo Falcón

Referencia bibica en el capítulo de "Las escalas de la Vida" es Eclesiastes capítulo 3 (NVI)

EL AUTOR

Ha viajado por muchas partes de Latinoamérica y Europa participando en diversos foros, en donde miles de personas han sido desafiadas y levantadas a través de sus conferencias.

Es considerado como un comunicador fuera de serie, siempre con un mensaje actual, motivador y reformador. Hombre multifacético, lo cual le ha llevado a incursionar en distintas plataformas dentro de diferentes ámbitos profesionales.

Ha escrito seis libros que han sido distribuidos en diversas partes del mundo. Dirige en conjunto con Jesús Adrián Romero la comunidad *Vástago Epicentro* en Monterrey, Nuevo León. Ha realizado dos temporadas del programa de televisión *Tarde pero sin Sueño* con gran éxito, es visto por miles de personas en toda habla hispana.

Personaje influyente en sus redes sociales:

Facebook: @gustavofalcon (fan page)
Twitter: @gustavofalcony
Instagram: @falcony

Actualmente llega a miles de personas a través de su canal de *YouTube*: "Gustavo Falcón", al que puedes suscribirte ahora mismo.

Gustavo Falcón está felizmente casado con Lily; son padres de tres hijas maravillosas: Paulina, Michelle e Italia.